A CIDADE DOS SEGREDOS

sasha gould

Tradução
Luis Gonzaga Fragoso

Novo Conceito

Esta é uma obra de ficção. Nomes, personagens, lugares e acontecimentos descritos são produto da imaginação do autor. Qualquer semelhança com nomes, datas e acontecimentos reais é mera coincidência.

1ª Impressão — 2014

Produção editorial:
Equipe Novo Conceito
Impressão e Acabamento RR Donnelley 081113

Este livro segue as regras da Nova Ortografia da Língua Portuguesa.

Dados Internacionais de Catalogação na Publicação (CIP)
(Câmara Brasileira do Livro, SP, Brasil)

Gould, Sasha
A cidade dos segredos / Sasha Gould. -- Ribeirão Preto, SP : Novo Conceito Editora, 2014.

Título original: Cross my heart.
ISBN 978-85-8163-312-1

1. Ficção inglesa I. Título.

13-10545 CDD-823

Índices para catálogo sistemático:
1. Ficção : Literatura inglesa 823

Novo Conceito

Rua Dr. Hugo Fortes, 1885 — Parque Industrial Lagoinha
14095-260 — Ribeirão Preto — SP
www.editoranovoconceito.com.br

Um agradecimento especial
a Sarah Moore Fitzgerald.

Prólogo

Sua gôndola desliza sobre a água como uma faca cortando seda escura. Os dois passageiros sussurram e riem, mas, do lugar onde ele está, não consegue perceber se estão tramando algo. Não é da sua conta se um velho e rico cavalheiro está disposto a pagar para obter favores de uma bela jovem — mesmo que ela seja uma moça de família. Conduzindo o barco com o remo, ele suspira e desacelera, até parar. Em silêncio, ajuda ambos a alcançar o nível da rua. Por um breve instante, ele olha diretamente nos olhos do homem enquanto recebe o pagamento. O improvável casal segue então seu rumo, os passos rápidos do homem fazendo um ruído seco sobre o chão de pedra, o riso da jovem pairando na noite. Seus passos ecoam pelas ruas, para além da Praça São Marcos.

A gôndola brilha e reflete a luz do luar enquanto ele toma o caminho de casa. Ele a controla com a destreza, conhecimento passado de geração em geração, deslizando diante de palácios indistintos, inclinando-se e contornando San Zulian, San Salvador e Mazzini, ao longo de canais secundários que compõem um rebuscado trajeto que segue da Praça São Marcos até a Ponte Rialto. Trata-se de uma rede confusa, repleta de falsos desvios e de perigos inesperados — é fácil perder-se nela, especialmente à noite. A menos que você seja um gondoleiro — neste caso, estas vias fluviais lhe são familiares como a palma da mão.

Ele está perto de casa quando ouve um grito longo e horrível, que preenche a noite. Ouve o ruído de algo caindo na água e o som de alguém batendo com um pedaço de pau num gradil. Ao fazer a curva, ele vê uma velha senhora correndo para cima e para baixo, ao longo da margem, implorando ajuda e chorando. Acima, janelas são abertas. Uma pessoa de voz sonolenta e rouca ordena que parem com o alvoroço. Curiosos se penduram no batente das janelas mal iluminadas.

A princípio ele acha que aquilo que vê adiante, na água, é um lençol ou uma cortina — uma espécie de cúpula, inchada e encharcada, balançando suavemente no meio da escuridão. Ao se aproximar, percebe que é um vestido boiando na superfície. Uma mulher. Descalça e com o rosto voltado para baixo. Flutuando perto o suficiente para ser puxada até a margem com o remo. Com a ajuda da velha senhora, ele carrega o corpo até a beirada de pedra. Percebe, então, as pessoas que se aproximam, formando um círculo ao redor deles. Devagar, pesadamente, ele vira o cadáver.

É uma jovem de aproximadamente 20 anos. Dedos delicados, já frios. Lábios azulados. Em vida, devia ter sido belíssima. Seus olhos estão semicerrados, olhando fixa e serenamente para o céu.

Os lamentos da velha ficam mais intensos. Ela se atira junto ao corpo, afastando fios de cabelo molhado do rosto sem vida. A seguir, fica em pé e agarra-se ao homem com suas mãos ossudas, segurando-se em sua jaqueta.

— Que Deus me ajude, Que Deus a ajude. Jesus, meu Deus do céu, faça algo por nós!

Ele pega nas mãos da mulher, segurando-as entre as suas. Para os passantes, isso pode parecer um gesto de conforto ou de carinho. Mas, na verdade, é uma tentativa de se desvencilhar de todo aquele pânico e sofrimento.

— *Signora*, sinto muito, *signora*, mas não há mais como ajudá-la — ele diz, e vai embora.

Capítulo 1

AQUI, NENHUMA DE NÓS é conhecida por seu nome verdadeiro. Você mal chega e é rebatizada: La Grossa, La Cadavara, La Lunatica, La Trista, La Puera, La Pungenta — Gorda, Cadavérica, Lunática, Tristonha, Medrosa e Fedida. Dentro dos muros do convento, cedo ou tarde, os adjetivos depreciativos se transformam em nomes próprios.

Elas me chamam de La Muta — A Muda. Não que eu não tenha muito a dizer; o fato é que, na maior parte do tempo, guardo as coisas comigo. As filhas aprendem isso desde cedo. As caçulas, mais cedo ainda.

A abadessa vivia me dizendo que percebia algo de selvagem em minha alma — que havia algo de animal em mim. Um cachorro, talvez, ou então um rato. As criaturas que se esgueiram para dentro do convento à noite, em busca de ossos de frango e de comida putrefata. Esta é uma característica minha que ela está determinada a eliminar.

Minha vida, que antes pertencia a meu pai, hoje está nas mãos dela. Sou despertada às 2 horas da manhã, para fazer as preces, e novamente às 5 horas, para sair e cantar melodias perfeitas enquanto o sol de Veneza se eleva por trás das grades de ferro e das trancas, dançando por entre o mármore e o dourado da capela.

A abadessa mantém o controle sobre toda a correspondência que entra e sai do convento. Às vezes ela retém as cartas enviadas por minha irmã Beatrice, impedindo-me de lê-las. *Me conte as novidades*, eu implorava a Beatrice em minhas cartas. *Quando é que você vai se casar com Vincenzo? Ele faz você feliz?* Nenhuma dessas perguntas pode ser feita sem passar antes pela análise minuciosa e puritana da abadessa. Para uma mente desconfiada e alerta a todos os males possíveis, qualquer palavra minha pode, de algum modo, estar impregnada de pecado.

— Eu consigo enxergar tudo — me diz a abadessa. — Eu sei o que passa por sua cabeça.

Eu costumava acreditar nela. Achava que ela era capaz de ver meus anseios secretos vazando, assim como o azeite que escorre da prensa. Sim, eu a vi segurando as cartas pelas bordas dos envelopes, como se o conteúdo delas pudesse manchar seu hábito. Como se fossem coisas oleosas, encardidas.

Algumas das cartas enviadas por Beatrice chegam até mim. Eu as escondo dentro de uma caixa azul de madeira, junto a meu anel e um tufo de seus cabelos amarrado com fita de seda. Tarde da noite, quando Annalena já ronca e se revira sob as cobertas, eu apanho esses tesouros de minha irmã e leio repetidas vezes os papéis repletos de tinta. Cada uma delas traz algo do mundo exterior, contrabandeado para dentro destes muros que nos separam. Por um mero acaso do destino, ela permanece livre, enquanto eu sigo definhando.

Annalena é minha "convertida", minha irmã leiga, minha criada, que zomba de mim por eu sorrir enquanto estou dormindo. Ela diz que minhas pálpebras tremelicam e fica imaginando quais caminhos eu percorro em meio à escuridão.

Quando sonho, viro criança novamente. Beatrice e eu corremos até a ilha do Lido para ganhar presentes da avó de Paulina, minha amiga órfã de pai. Sempre me entristeceu o fato de o pai dela ter morrido ainda jovem, mas hoje me pergunto se, na verdade, ela não é abençoada por ter vivido sozinha com a mãe. A avó de Paulina cobria o corpo com roupas pretas, e a pele de seu rosto era grossa e cheia de sulcos, como uma casca de noz.

"As princesinhas", era assim que ela nos chamava. Com um *Shhh!*, ela recomendava:

— Não contem ao seu pai que estiveram aqui.

Então, ela nos olhava e suspirava:

— Oh, e os maridos que vocês terão! As riquezas! Quantos homens terão o desejo de tocar a pele de vocês e lhes acariciar os cabelos!

Ela era dona de uma panificadora e, durante o verão, quando não conseguia suportar o calor dos fornos, deixava-os esfriar e fazia somente suspiros. Era famosa por causa deles. Era a única que conhecia a receita, que lhe fora passada pela mãe e, antes disso, pela avó materna. *Sospiri di monaca*: esse era o nome dos doces. Os suspiros das freiras. Há muitas receitas com esse nome comovente, mas o sabor de nenhuma delas jamais se igualou ao dos suspiros da avó de Paulina.

Em meu aniversário de 7 anos, Paulina me pegou pela mão, e saímos correndo até a panificadora de sua avó. Ali ficamos paradas, as duas, em silêncio, olhando para a mulher mirrada.

— Vovó — ela disse, por fim —, Laura está completando 7 anos hoje.

— *È vero?*

— Verdade.

Com seus dedos morenos e retorcidos, como uma velha árvore, ela colocou sete suspiros dentro de uma pequena cesta e a entregou a mim. Peguei um e dei uma mordida. Quebradiço a princípio, e então macio, ele revelou lentamente sabores de açúcar mascavo do Oriente, avelãs assadas do Sul e o sabor picante dos limões da Toscana. Fechei os olhos. Coloquei a mão na frente da boca e ela exalou um bafo quente.

— Oh, querida! — A velha abriu um sorriso. — Que todos os prazeres de sua vida lhe tragam um entusiasmo como este e sejam assim, fáceis de preparar.

Em meus sonhos, é sempre verão. Neles, minha mãe ainda é viva e está sorrindo. Nesses seis anos que passei no convento, lentamente, mas de modo assustador, me dei conta de que me esqueci dos detalhes de seu rosto. Deve ser porque estou prestes a ser crismada. Já marcaram a data. Estou prestes a me transformar numa Noiva de Cristo. As irmãs mais velhas se referem a isso como se fosse um verdadeiro casamento. Um noivo etéreo está em pé a meu lado, com ar severo, olhando-me não exatamente com orgulho nem lascívia, mas com a arrogância de um pai, imóvel como um santo morto. A combinação de poderes de um duque e de um papa.

Pergunto-me se minha irmã continua desenhando. Talvez ela possa me mandar um desenho. Ela sempre teve maior inclinação para a arte, era mais metódica; eu ficava impaciente, perdia o senso de perspectiva e, por causa da pressa, arruinava meus traços.

Mamãe. Em minha pele, sentia seu hálito indistinto, quente e doce como amêndoas açucaradas. Eu inalava o aroma desse anjo que era minha mãe. Embora não possa mais ver seu rosto, ainda sou capaz de sentir seus aromas: lavanda, canela, flores de laranja e cereja.

Minha mensagem é curta.

Querida Beatrice,

Por favor, me diga novamente qual era a aparência da mamãe. Envie um esboço, se puder.

Com amor,

Sua Laura.

Não há nada na mensagem que a abadessa possa querer riscar ou eliminar. O que me preocupa é que até mesmo o fato de não haver nada a censurar possa, de algum modo, deixá-la frustrada ou furiosa.

A abadessa autoriza o envio da carta. Fico à espera da resposta.

Capítulo 2

Três dias se passaram, e nada de resposta de Beatrice. As únicas cartas que recebo, cerca de quatro vezes ao ano, são de meu irmão, Lysander, mas ele é dez anos mais velho que eu — um estranho, praticamente. Ele prossegue os estudos em Bolonha, um lugar tão distante que nem consigo imaginar como é. Meu pai jamais me escreve.

Estou no jardim do convento. A abadessa Lucrezia também. É tarde demais para me virar: ela reparou que eu a olhava. Fixa em mim seu olhar de réptil, pálido e líquido, imóvel e alerta.

— Estão precisando de sua ajuda na enfermaria. Vá direto para lá.

Faço uma mesura e saio rapidamente.

Na enfermaria, o ar é fresco e o aroma do lugar está agradável. As velas cintilam e tremulam em meio à escuridão. Um homem faz um ruído terrível: geme e rosna como dois cães abandonados se atracando. Foi colocado sobre um desses bancos duros de enfermaria. Almofadas e cobertores foram empilhados a seu lado para que seu corpo surrado não fique em contato com a superfície nua. Contorce o corpo como se estivesse possuído. Da boca lhe escorre uma baba amarela esbranquiçada, como os rastros de uma nuvem de espuma que o mar deixa no Lido num dia de tempestade. Seus olhos se reviram e suas pálpebras tremem.

Irmã Maria dá voltas e mais voltas ao redor do banco, como um inseto impotente, tentando chegar perto o suficiente para cuidar dele. Ela se aproxima, mas o homem consegue desprender uma das pernas e a atinge, derrubando o livro de preces e um frasco de remédios que ela trazia nas mãos. Ela me lança um olhar, corre até a prateleira e retorna com um pequeno pedaço de madeira.

— Ele vai morder a língua logo, logo — ela diz. — Segure os braços dele!

Tento segurar os braços que se contorcem, enquanto ela tenta enfiar o pedaço de madeira na boca do homem. Não acredito que vá conseguir. Em movimentos alternados, a boca dele se escancara, larga e cheia de baba, e a seguir se fecha com firmeza — imóvel e emitindo grunhidos. Irmã Maria tenta encontrar um intervalo efêmero entre uma contorção e outra para tentar enfiar o pedaço de madeira entre os dentes do homem. Ela desiste da batalha e se afasta, exausta e suada, acenando frouxamente com o braço para mim, dizendo:

— Assuma a tarefa. Assuma a tarefa.

— O que eu devo fazer?

— A raiz de peônia — ela diz, ofegante. — Ele precisa tomar o extrato que está nesta garrafa. Se não conseguirmos fazer com que ele beba, ele pode morrer. — Ela segura diante de mim a pequena garrafa rachada, e sua mão treme tanto que parte do líquido é derramada fora. — E preste atenção na língua dele. — Com a outra mão, ela segura o pedaço de madeira.

Preciso encontrar um meio de fazer com que ele engula o líquido. Pego a garrafa e o pedaço de madeira e faço uma prece. *Senhor, me dê forças.*

Chego mais perto do homem, bem devagar. Toco em seu peito e sinto a energia de um cavalo assustado ganhando força dentro dele. Olho-o diretamente e, por um instante, tenho a impressão de que ele também olha em meus olhos. Mas então ele se revira e se debate novamente, e o animal dentro dele parece ficar mais violento.

Eu consigo fazer isso, digo a mim mesma. Consigo lidar com situações violentas.

Esquivando-me de seus chutes e arranhões, consigo subir por cima dele e me ajoelhar sobre seu peito. Nesta posição, tento colocar o líquido dourado da peônia dentro de sua boca, mas ele vira a cabeça violentamente, de um lado a outro. Irmã Maria entoa um cântico enquanto vira as páginas de seu livro de preces de cura.

— *Santa Maria, Mãe de Deus, rogai por nós, pecadores, agora e na hora de nossa morte. Amém.*

— É fácil para você dizer isso — murmuro entredentes, enquanto luto com o monstro debaixo de mim.

De repente, me bate a certeza de haver algo de perverso nisso tudo. Estou sentada em cima de um homem! Estou tocando seu corpo, enquanto ele se revira e se contorce embaixo de mim. Mas Irmã Maria não me pede para parar. Ela prossegue com o cântico, num tom monótono e pesaroso. Observo o rosto do homem, à espera do próximo bocejo grotesco e convulsivo. Minha entrada é perfeita: no momento que ele abre a boca, enfio a borda da garrafa entre seus dentes e lhe dou um pouco do remédio. Ele fica sem ar e parece que vai engasgar. Tento inserir o pedaço de madeira, mas ele o cospe fora, aos poucos. A tempestade começa a passar.

— Calma — digo a ele baixinho. — Calma. — Toco seus cabelos e lhe enxugo a testa. Não sei direito se devo dizer algo. Ele treme como uma onda enorme que se recolhe. Irmã Maria não interrompe seu cântico. Está absorta no ritmo das preces e parece ter medo de que a interrupção quebre o encanto. Não sei se foi a prece ou a peônia que o curou. É possível que tenha sido algo dentro dele que simplesmente seguiu seu curso. Ele para de se debater, e a paz se instaura dentro de seu corpo. Saio de cima dele e desço até o chão.

O homem se ajeita, colocando o peso sobre os cotovelos, e me olha:

— Oh, Deus do céu, de novo, não. Oh, meu Deus, eu me descontrolei completamente.

— O senhor está muito melhor agora — digo a ele.

— Sim, obrigado, irmãzinha. — Ele olha para a garrafa de óleo de peônia quase vazia em minha mão. — Obrigado por retirar o veneno de dentro de mim. Sou praticamente eu mesmo de novo.

— Sim, mas o senhor está muito fraco.

O rosto dele ganha um ar sombrio, e ele agarra meu braço, puxando-me para perto de si.

— Fraco? O que você quer dizer com isso? Como ousa?

— Perdão, senhor. Eu só quis dizer que o senhor parece cansado. Precisa de descanso. Precisa beber alguma coisa.

Ele me solta e volta a despencar no banco.

— Você está certa — ele murmura. — Sou um homem fraco. Fraco e dócil.

— Senhor, eu não quis dizer fraco de espírito ou de alma fraca. Só fraco fisicamente. Por causa do sofrimento por que passou.

Ele sorri, mas seu tom de voz é sério.

— Ninguém em Veneza pode ficar sabendo do que estou sofrendo.

Prometo-lhe que não direi a ninguém.

Seu olhar se volta rapidamente para Irmã Maria. Ele consente com a cabeça e me diz que sou uma boa menina.

— Confio em você — diz ele. — Confio, sinceramente.

Irmã Maria pede para eu me afastar. Séria, coloca um dedo na frente dos lábios estendidos:

— Lembre-se, Laura. Não diga uma única palavra a ninguém sobre isso. É um segredo. Ficou claro? *Un segreto.*

Sussurro a palavra duas vezes. Sua sonoridade é sombria. Para pronunciá-la, tenho que manter os dentes cerrados e sibilar. A seguir, devo fechar a parte posterior da garganta e raspar o céu da boca com a ponta da língua, e soltá-la como se, por um segundo, a língua estivesse tentando escapar.

Se — gre — to.

No início, sibilante. Gutural no meio. E explosiva no final.

Capítulo 3

No dia seguinte, ao final do ensaio do coral, estou saindo da capela quando vejo Annalena. Está parada ao lado da porta e me chama gesticulando com o dedo. Diz que tem um recado para mim.

— O quê? O que foi? — pergunto enquanto corro a seu lado, e serpenteamos de volta para nossos aposentos.

Ela se recusa a falar.

— Espere — ela me diz. — Dá para esperar e parar de me importunar?

Embora eu esteja em posição hierárquica superior e ela me deva obediência, toda vez que olho para Annalena sinto inveja. Há algo de liberdade e de desafio nela, uma postura sempre destemida.

Entramos no quarto, e ela me diz para sentar. Tira meu véu e diz que meu cabelo está um horror.

— Oh, Annalena — digo –, foi para isso que você me trouxe aqui com tanta pressa?

— Não — ela diz, colocando-se em pé atrás de mim, escovando meus cabelos com gestos demorados e lentos. Em minha janela, a frágil cortina se agita como uma coisa viva e presa com a brisa. Em meio a este som lento e repetido, outros sons flutuam no dia veneziano: o estalar dos sapatos no chão de pedra, o vento agitando a água, os gritos dos homens nos barcos, o riso das crianças ecoando nas ruas laterais ao redor do convento.

O recado de Annalena: a abadessa quer falar comigo.

— Sério? — Viro-me para ela de modo que meus cabelos se enroscam e ficam presos no pente.

— Pare com isso, ou a abadessa vai mandar você cortar os cabelos.

— Pelo amor de Deus, Annalena, sobre o que ela quer conversar comigo?

— Não sei, mas é alguma coisa importante. Pressinto isso. Pare de se mexer!

Annalena é esperta. Sempre observando, sempre de olho nas coisas. A abadessa comentou, uma vez, que ela tem um dom para a observação — ainda que isso não me tenha soado como um elogio.

Ela termina de escovar meus cabelos e, ao que parece, acha que estou apresentável. Diz que devo ir ao escritório da abadessa imediatamente. Diz para eu não me preocupar, que Deus está comigo o tempo todo. Observo o rosto de Annalena, e ela me parece muito triste.

A caminho do escritório da abadessa, sinto uma tensão enorme. Será que Irmã Maria lhe relatou algum detalhe sobre como me comportei na enfermaria com o homem doente — a maneira como subi em cima dele? Ou será que a abadessa interceptou a carta-resposta de Beatrice? Será que algo nela me colocou numa situação terrível de apuros?

Lembro-me da expressão facial de meu pai no dia em que ficou parado, junto à porta deste convento, sem se despedir, sem mostrar qualquer emoção enquanto eu era arrastada para dentro. A centelha de alívio nos olhos dele enquanto eu gemia e as irmãs tentavam desgrudar meus dedos das grades e pisavam em meus pés para me impedir de dar pontapés.

Naquele dia, ele lavou as mãos em relação a mim. Não precisava mais me alimentar. Eu era, agora, uma responsabilidade a menos para ele.

Eu tinha 10 anos e ainda não compreendia por que eu, e não Beatrice, é que deveria ser mandada embora. Que o dote é mais bem gasto com um bom marido do que com dois maridos medíocres.

Ainda sou capaz de ouvir suas últimas palavras antes de eu ser puxada por entre as portas cheias de tachas do convento.

— A dívida está paga — disse ele à abadessa.

A dívida nunca é paga. Não há quantidade de ouro que possa compensar os dias de infelicidade e as noites que passei, letárgica, nesta prisão.

A abadessa faz um sinal para eu fechar a porta.

— Bom dia, Irmã Laura. Sente-se, por favor.

Qualquer sinal de fraqueza de minha parte só a alimenta e a fortalece ainda mais. Levei muito tempo para aprender isso. Sento, mas sou capaz de encarar seu olhar pálido.

Ela permanece em pé. Atrás dela está pendurado um enorme quadro, de onde o leão rampante da família Agliardi Vertova ruge silenciosamente na direção do aposento. Entre nós duas, sobre a mesa, sua Bíblia repousa como uma pesada rocha retangular. Todas aqui sabemos que a abadessa tem uma relação especial com Deus. Ele aparece diante dela em meio às suas visões, e ela traduz suas elevadas palavras para nós. Acho que estou pronta para qualquer coisa. Mas não estou preparada para o que virá a seguir.

— Laura, você sabe muito bem que eu sempre aconselhei às irmãs que aprendessem a conviver com as mudanças que a vida traz.

Jamais a ouvi dizer isso a alguém. Nada muda no convento, jamais.

Solene, ela continua quase num tom de récita, como se estivesse me ensinando uma nova prece.

— Algumas mudanças são enormes, embora pareçam pequenas de início. Outras são pequenas, embora pareçam grandes.

Ela aparenta estar mais irritada e com um ar mais severo do que o habitual, e tenho certeza de que Irmã Maria lhe contou a respeito de minha conduta inadequada na enfermaria, mencionando os detalhes mais desagradáveis. Terei que passar um ano inteiro confinada na solitária, onde a Lunática perdeu a sanidade mental. Meu Deus, não permita que ela me mande para lá.

A abadessa passa os dedos pelas letras douradas de sua Bíblia e acaricia o marcador de livros de fita de seda, que desponta por entre as páginas, do modo como outra mulher acariciaria a mão de um bebê.

Então, me olha e diz:

— Você deixará o convento, Laura. Uma pessoa estará esperando por você na entrada sul exatamente às 6 horas. — Não há hesitação em sua voz, e seu rosto tem a rigidez de uma pedra. Nenhuma expressividade, apenas instruções frias, sem explicações. Ela me entrega um pacote marrom, pequeno e sinistro, amarrado com um barbante. — Estas são as roupas que você deverá usar. Não nos veremos novamente.

Por um instante, fico completamente imóvel. Talvez isso seja um jogo cruel. Ou talvez ela esteja apenas me testando.

Não vejo qualquer sentido em lhe fazer as mil perguntas que me martelam dentro da cabeça. Sei bem que, se fizer isso, a abadessa erguerá sua mão macia e pálida diante de si, num gesto que pedirá meu silêncio. Desde que cheguei ao convento, nunca a ouvi respondendo a uma única pergunta. Chega um momento em que você simplesmente deixa de fazer perguntas. Imagino que essa seja a intenção.

Ela me dispensa, e saio pelo corredor. A Fedida está parada ali e me olha como se nunca tivesse me visto antes.

— O que foi? — pergunto. — O que foi que eu fiz?

— Nada, Laura. Quis falar com você assim que eu soube.

— Soube de quê?

— Que você está indo embora.

Sinto alguma coisa despertando dentro de mim. Hoje à noite, quando o sol estiver se pondo em Veneza, Beatrice e eu estaremos flutuando por suas vielas e canais sinuosos em celebração. Sim, correremos juntas até o Lido, e a avó de Paulina nos dará novamente os *sospiri di monaca*, e encheremos a boca com eles, inalando seu doce polvilho.

Poderei voltar a saborear os açúcares e os temperos desta cidade cintilante e reluzente. Tudo está prestes a mudar.

Capítulo 4

— A Muda está deixando o convento. Está indo embora hoje! O pai dela mandou alguém buscá-la.

Quase consigo ouvi-las sussurrando essas palavras, embora elas não me digam nada. De alguma maneira, sei que a notícia já se espalhou. Sei por causa do modo como todas se voltam em minha direção enquanto corro de volta para meu quarto. Todas essas mulheres e garotas têm o olhar fixo em mim. Todo o seu potencial, seus sonhos e anseios depositados no Altar dos Anjos, deixados ali no dia em que cada uma delas foi obrigada a comprometer-se com Cristo.

A felicidade pode ser uma coisa cruel diante do sofrimento de outra pessoa. Quando comunico a notícia a Annalena, ela a recebe como se estivesse recebendo um golpe.

— Não consigo acreditar — ela diz, com os olhos repentinamente úmidos e brilhantes. — Estou tão feliz por você!

Pela primeira vez, não há o menor indício de zombaria em seu tom de voz. Aperto a mão dela e corro de volta para meu quarto. E, à medida que a lembrança de Annalena é dissipada pela repentina onda de entusiasmo, me sinto culpada. Já sei que não sentirei nenhuma saudade do convento. Nem mesmo de minha irmã leiga.

Em meu quarto, levanto a prancha de madeira que durante seis anos serviu de esconderijo às cartas que recebi de Beatrice e onde mantive guardado meu anel. De lá, retiro o pequenino pacote embrulhado em panos, dentro do qual está aninhado um anel de ouro trançado e fosco. Beatrice tem um anel idêntico. Quando mamãe percebeu que ia morrer, ela nos entregou os anéis e murmurou:

— Vocês devem cuidar uma da outra quando eu for embora. — Coloco o anel novamente no mindinho da mão esquerda. Por um instante, sinto-o frio e apertado. Mas logo ele se acomoda em seu lugar.

Enquanto caminho pelo convento, pequenas nuvens de incenso bafejam atrás de mim pela última vez. Da capela, a cera goteja como lágrimas enquanto faço minhas últimas preces. E, na enfermaria, dou um frágil adeus às cestas de cheiro acre, carregadas de ervas sagradas.

Às 6 horas, de fato a carruagem está à minha espera. Irmã Maria está parada em pé, junto à porta, e me beija.

— Adeus, Laura. Sentirei sua falta. Todas nós sentiremos.

Sinto como se alguém estivesse derramando algo quente dentro de mim. O convento parece se despir de sua fachada negra e fria quando atravesso a espessa porta. Entro rapidamente na carruagem.

A carruagem é preta, e o condutor usa chapéu e casaco escuros, mas todo o resto, aqui, é uma miríade de cores: vermelho, dourado, azul, verde-folha. Olho para o alto e vejo as celas do convento. Em praticamente cada um daqueles pequenos espaços retangulares paira a silhueta de uma freira. Há uma sombra na janela de Annalena, mas não tenho certeza se é mesmo ela.

Uma multidão se dirige a Veneza para o Festival da Madonna delle Candele. Aromas de perfumes e óleos se misturam a outros cheiros — enxofre, me parece — e frutas maduras. Cada minuto que passa me distancia ainda mais do convento e me aproxima de minha casa. Ao me debruçar na janela da carruagem, vejo luzes serpenteando: são pequenas velas cujas chamas tremulam ao sabor do vento que sopra dos canais. Mas, quando me viro, meu cotovelo esbarra num jovem num carrinho de leite.

— Oh, senhor, mil desculpas! — grito, sentindo minhas bochechas corando.

O jovem sorri e responde:

— Não é preciso pedir desculpas! É sempre um prazer colidir com uma linda garota.

A carruagem atravessa a antiga e vacilante Ponte Rialto, com sua profusão de sons e cheiros. Deve ser esta a sensação de estar embriagado.

Quando fazemos uma parada, dou um salto à frente. Estou em casa.

É estranho estar de volta ao palácio de minha infância, que já foi tão reluzente um dia. Quando pequena, espiava pela janela de meu quarto e observava servos e nobres, velhos e jovens, ricos e pobres — todos apressados. Mas eles sempre paravam para contemplar minha casa, e praticamente todos sorriam, como se a própria construção lançasse sobre todos eles um feitiço de prazer. Minha casa brilhava, cintilante.

Não é mais assim.

O gesso minguou e descascou das paredes como se fora casca de laranja mofada, e há manchas de umidade sob as janelas dos pisos superiores. As plantas e as flores nos canteiros das janelas estão morrendo.

A enorme porta da frente está aberta, e eu entro. Meus passos ecoam no piso de mármore rachado. O ar fresco da casa me envolve. Nas paredes onde havia quadros pendurados, agora há espaços vazios e pálidos.

— Beatrice? — chamo. Ninguém responde.

Um objeto comprido e escuro foi colocado sobre a mesa no hall de entrada. Levo alguns minutos para perceber que se trata de um caixão.

Meu pai entra por uma porta lateral que, pelo que lembro, dá acesso à sua biblioteca. Se a casa se deteriorou, então ele definhou junto com ela. Veste roupas que foram feitas para um homem maior, mais encorpado. Cobrem seu corpo como se fossem cobertores puídos.

— Papai. — Estendo a mão para ele quando se aproxima, mas ele não aceita meu cumprimento. Há algo de novo e de sombrio em seu rosto.

— Papai, quem é aquele? Quem morreu?

Ele engole em seco, como se as palavras estivessem presas na garganta.

Deve ter sido um dos criados, pensei. Muitos deles já eram idosos. Renato, o mordomo de meu pai, era alcoólatra. Lembro, então, de Faustina, minha ama querida, e me vêm à mente imagens de seu velho e afetuoso rosto.

— Papai, me diga que não foi Faustina. — Balanço a cabeça e me afasto dele.

Quando, por fim, ele abre a boca, a voz é solene, rouca e ligeiramente incompreensível:

— Não foi Faustina.

Então foi meu pobre irmão. Ele sempre foi meio frágil. Deve ter contraído alguma doença em Bolonha. Instantes depois desse pensamento me ocorrer, percebo que minha mente está fazendo malabarismos lógicos a fim de evitar a verdade. Se ele morreu tão longe de Veneza, ao sul, não teria sido transportado por todo o caminho até aqui.

Assim, antes mesmo que olhe para a pessoa deitada, imóvel e silenciosa, no caixão, já me dei conta de que, de algum modo, este não é o dia maravilhoso que eu estava imaginando encontrar. Não encontrarei Beatrice hoje. Não a encontrarei nunca mais.

Abro a boca, mas não sai som algum. Meu pai protege o rosto com uma das mãos.

Chego perto da beirada da caixa de madeira. As mãos de minha irmã estão amareladas e inchadas. Seu rosto está abatido e, de repente, tenho dificuldade para me lembrar da luz que costumava dançar nele. Seu corpo é pequeno, mas está inchado e aparenta estar terrivelmente deslocado dentro daquele precário recipiente de coisas mortas. Sua beleza misteriosa desapareceu.

A madeira áspera arranha meus braços e mãos quando meu pai me arrasta para longe do caixão, mas não me importo. Que os fragmentos da madeira sejam fincados em mim. Quero sentir suas lascas ásperas sob a pele.

— O que é que você estava esperando? — ele me pergunta. — Por que acha que eu mandei buscá-la? A abadessa não lhe explicou?

Não explicou.

Beatrice morreu afogada, diz meu pai. Não consigo falar. Me sinto incapaz de fazer as perguntas que me martelam as têmporas feito tambores ensandecidos. Como é que ela pode ter se afogado? Onde isso aconteceu? E por quê? Beatrice, a melhor nadadora em toda a Veneza... Ela nadava com grande agilidade, forte e reluzente como uma foca.

Empurro meu pai e corro escadas acima na direção do quarto que eu dividia com Beatrice. Uma figura arqueada está parada junto à cama, desdobrando um lençol de linho. Ela se vira em minha direção.

Faustina.

— Oh, minha querida — diz ela, largando tudo e abrindo os braços.

Passados alguns instantes, sentamos na cama, lado a lado, e conversamos. Falamos de como sentimos falta uma da outra. De como cresci e me transformei. Digo que a aparência dela é exatamente a mesma, mas ela mudou. Eu estava errada em relação a tudo. Achei que estava voltando para casa para ver Beatrice, mas não. Não achava que fosse sentir a mínima saudade de Annalena, mas sinto.

O sentimento de perda é uma serpente negra que se move dentro de mim; ela se mantém enrolada ali, à espreita, poderosa. Acho que nunca mais me deixará.

Capítulo 5

Sou despertada por um raio de sol oblíquo que queima meu travesseiro. O sol parece sangrar por entre as fendas das janelas, como um velho inimigo ferido disposto a me punir por algo que não fiz.

Sento-me à frente de meu pai enquanto tomamos o café da manhã, com pão e carnes defumadas. Bianca, uma criada que eu não conhecia, nos serve, enchendo nossas taças com suco de romã e fatiando nacos oleosos do presunto no centro da mesa. Ela inclina a cabeça, respeitosamente, mas consigo ver seus olhos azuis movendo-se curiosos entre o rosto de meu pai e o meu. Imagino se ela também não estará tentando reconhecer nele o homem orgulhoso que era. Hoje, ele está enfraquecido e curvado e fala em resmungos — para ouvi-lo, tenho de me inclinar em sua direção.

— Você e eu teremos de encontrar um jeito de sair desta situação terrível.

Estendo minha mão sobre a mesa para tocar a dele, e ele acaricia meus dedos com suavidade, distraidamente, com o polegar — está num outro lugar qualquer. Quando falo, praticamente se mostra surpreso ao me ver à sua frente.

— Papai, eu estou perdida. Sem Beatrice, estou perdida.

— Sei disso, Laura, mas há muita coisa a ser feita. Confie em mim. Você será feliz novamente. Agora pode parecer impossível, mas você superará isso e nós conseguiremos ser fortes de novo.

Balanço a cabeça, incapaz de acreditar nas palavras dele.

— Sem Beatrice, não.

Ele se ajeita na cadeira e me olha de modo sério, como se eu fosse uma criança resmungona com quem se deve falar com firmeza.

— Você se comportou exatamente desse jeito quando sua mãe morreu. Não ajudou muito na época.

— Não, mas...

— O tempo cura. E curará agora, como curou daquela vez.

Largo a mão de meu pai, e seu corpo se afunda ligeiramente. Fatio um pedaço de pão, olhando fixamente para meu prato rachado enquanto engulo uma torrente quente de lágrimas. O tempo não cura; ele destrói. A luminosidade que se insinua por entre as janelas se altera. Pisco, cegada pela luz, e, por um instante, a luz trêmula me dá a impressão de que minha mãe está sentada conosco.

Como uma onda, as lembranças vêm à tona — o rosto dela, límpido como sempre foi. Lembro-me de como ela se sentou em minha cama, no meio de uma noite de inverno, acariciando meus cabelos molhados, meu rosto de menina de 5 anos umedecido e assustado depois de ter passado por um pesadelo sombrio.

— Mamãe, as cobras vão vir me pegar quando eu estiver dormindo?

— *Shhh*, meu anjo, *shhh*, não tem cobra nenhuma. Volte a dormir.

— Mas e se eu sonhar com elas de novo?

— Da próxima vez, não acorde enquanto o sonho não terminar. Se você for até o fim, verá que no final tudo dá certo. Nada de ruim acontecerá a você.

Mamãe, você também estava errada.

Enquanto Bianca limpa os pratos, adiciono esse item à lista de coisas de que tenho certeza.

A dívida nunca é paga.

O tempo destrói.

Nada dará certo.

Estou elaborando meu próprio catecismo. Decoro suas regras, essas lições horríveis que a vida tem me ensinado.

Peço licença para deixar a mesa e saio na direção da pálida luz matinal do pátio do fundo da casa. Caminho sobre o piso de laje e me encosto no portão de metal forjado, nos fundos, que dá acesso a um estreito canal. Milhares de partículas de poeira giram à luz do sol, flutuando e caindo a meu redor: uma dança inanimada de decadência.

Mais tarde, sento-me no chão do quarto de vestir que eu dividia com Beatrice, um baú aberto à minha frente, e dou início à triste tarefa de arrumar suas roupas. Meu pai disse que já estou mais alta do que minha irmã; já que não posso usar suas roupas, elas devem ser descartadas. Com delicadeza, apanho seus espartilhos, xales e anáguas e coloco tudo em pilhas. Alguns deles serão vendidos; outros, cortados e reutilizados na costura de alguma roupa nova.

Faustina entra, trazendo um banquinho nas mãos cheias de saliências.

— Sente-se aqui, minha querida —, diz ela, colocando-o a meu lado. — O chão não é lugar para uma dama.

Delicadamente, ela pega uma touca de seda de minha mão e então abre o amplo guarda-roupas de madeira escura onde estão os vestidos de Beatrice. Enquanto ela dobra luxuosas roupas de cetim e veludo, faço as perguntas que vão me surgindo à mente:

— Como Beatrice se afogou? Onde você estava?

— Pare, Laura, por favor, pare com isso — ela diz. — Por favor, pare de me fazer perguntas. Não consigo...

Mas eu preciso saber e, aos poucos, ela começa a contar. Beatrice e Faustina tinham ido ao concerto no palácio do duque. Beatrice rodopiava de volta para casa, com seus pés de bailarina, da maneira como sempre a imagino movimentando-se pelo pátio.

— Faustina, ela estava com você? Ela estava ao seu lado quando caiu?

— Sim. Quero dizer, não. Nós estávamos juntas, mas... — Ela se atrapalha e derruba um vestido azul, que cai sobre uma pilha de roupas, com o corpete todo aberto. — Beatrice queria conversar com uma pessoa que ela conhecia. Você se lembra do jeito dela, falando e rindo com todos que encontrava. De dia ou de noite, ela era assim.

Pediu para eu ir na frente, dizendo que voltaria depois de ter feito uma visita a uma amiga. Ela sabia que eu já não posso mais andar tão depressa e estava cansada e ansiosa para chegar em casa.

Faustina suspira. Apanha o vestido caído, coloca-o sobre a penteadeira e então me envolve com seus braços cansados. Murmura que gostaria de poder dar um jeito em tudo, como sempre pôde fazer quando eu era pequena e meus problemas podiam ser resolvidos com um beijo e com um docinho vindo da cozinha. Mas minha lembrança continua presa à noite em que Beatrice morreu.

— Você acha que ela foi encontrar Vincenzo? — pergunto, pensando no noivo dela.

Mas Faustina estremece e coloca as mãos na frente do rosto.

Ouço os passos pesados de meu pai e ele empurra a porta, agitando seu manto desbotado. Seus olhos brilham e sua postura não é mais a de um homem derrotado; mostra-se altivo e determinado.

— Chega de chorar, Laura. Você tem uma vida pela frente e muito ainda a fazer. Você agora tem responsabilidades, e o dever de zelar pela dignidade de nossa família.

Ele me estende a mão. Seguro-a e ele me leva para fora do quarto. Os dedos de Faustina apertam os meus enquanto eu passo, os olhos dela se apequenam de tristeza. Meu estômago se revira. Do que será que ela tem medo?

Reparo no perfil de meu pai enquanto descemos a escada. Ele me olha nos olhos quando chegamos ao hall.

— Não fique preocupada. A notícia é boa. E, além disso, fará com que você esqueça nossa perda.

Ele me leva até o pátio, onde sentamos perto do galho estirado do cipreste. Acima de nós, a poucos centímetros, centenas de insetos minúsculos cintilam dentro e fora de suas fendas.

— Você sabe que Vincenzo era um excelente par para sua irmã — diz meu pai. — Sabia que eles se casariam na primavera?

Sim, claro que sabia disso, mas eu não tinha nenhuma outra informação sobre o noivo de Beatrice. Por um instante, vejo o rosto da abadessa reluzindo à luz da chama da vela sagrada na qual ela queimava as cartas pecaminosas, eliminando assim os pensamentos impuros escritos com tinta perigosa. É possível que o que minha irmã pensava sobre Vincenzo nunca tenha chegado até mim. Talvez ele seja bonito e sorridente. É possível que as cartas em que ela falava do amor que sentiam um pelo outro, e também de outras coisas que devem ter sussurrado em segredo, tenham sido queimadas.

— Ele ficará arrasado — digo.

— Perturbado, sim. Mas esta não é uma situação irremediável.

As palavras dele, num estranho tom pragmático, me deixam tensa.

— Como é que se pode remediar isso? — pergunto, olhando fixamente para meu pai. — Não pode haver casamento sem a noiva.

Ele franze as sobrancelhas.

— É claro que o casamento acontecerá — ele caçoa. — Por que outra razão você estaria aqui?

Capítulo 6

Posso muito bem fazer novamente o papel da Muda. Não consigo dizer nada.

— Os primos do duque estarão presentes! — diz meu pai. — Nada menos que sete membros do Grande Conselho já aceitaram o convite. Há chances de sermos até mesmo honrados com a presença do próprio duque, devido aos contatos de Vincenzo. Como é que poderíamos recusar uma oportunidade como essa?

A noite está quente e, quando subo a meu quarto sem jantar, me deparo com Faustina abrindo a janela. As chamas da vela de citronela tremulam dentro de uma pequena vasilha colorida ao lado da cama. Supostamente, ela deveria espantar os insetos, mas hoje não está fazendo efeito. Um pernilongo zumbe ao redor.

Soltando um agudo "Ahá!", Faustina junta as palmas das mãos diante do peito, cantando vitória.

— Eu não preciso fazer o que meu pai me pede, preciso? — digo, deitando na cama. Faustina estende o suave lençol sobre mim e então se senta a meu lado, me acariciando a testa.

— Querida, devemos fazer como nos mandam. A longo prazo, é melhor para nós. Os homens é que governam o mundo.

Talvez esse seja um item que eu precise acrescentar a meu catecismo. Ela tem razão, eu sei. *Até mesmo no convento*, penso. *Até mesmo num mundo onde homem algum jamais colocou os pés.*

Lembro-me de como meu pai falou comigo no pátio, o modo como me chamou de volta ao salão com um pequeno estalar de dedos.

Toco a áspera mão de Faustina.

— E Vincenzo, como ele é?

— Oh, minha querida — diz ela. — Não saberia dizer. Eu o vi tão pouco. Ele raramente vinha aqui, e, quando vinha, era apenas para falar de negócios com seu pai, na biblioteca dele.

— Ele é bonito?

A cama range quando Faustina se movimenta e se volta na direção da janela aberta.

— Ele é membro do Conselho — diz ela. — Alto, bem comportado e de família fina.

— Mas e se eu não gostar dele?

Quando ela se vira novamente em minha direção, vejo grandes lágrimas em seus olhos. Ela as enxuga com as mãos enrugadas.

— Não diga isso, querida. É tão melhor para você estar casada. Pelo menos você poderá estar aqui fora, na cidade, e não trancada num lugar onde nunca a vemos! E a velha Faustina estará sempre aqui quando você precisar. Eu lhe prometo. — Ela sorri, embora as lágrimas corram soltas em seu rosto. — Eu sentirei sua falta aqui, só isso. Mas em breve você será uma mulher importante, com seu próprio lar; as crianças nascerão e praticamente não terá com que se preocupar.

Ela começa a cantarolar. Conheço essa melodia há muito, muito tempo. Ela a cantava para Beatrice e para mim quando éramos bem pequenas, e mesmo depois de crescidas nós a cantávamos uma para a outra. *Stellina, stellina, bella stellina.* Linda estrelinha. Por um breve instante, essas palavras soam como as batidas de meu coração.

Quando a noite cobre todo o céu, não consigo dormir. Coloco um vestido e saio para o jardim. Ali, passo uma hora colhendo as flores prediletas de Beatrice à luz dos candeeiros. O aroma de lavanda é tão forte que me deixa tonta. Colho as flores de tojo e arranco rosas silvestres dos arbustos emaranhados do jardim. Trago tudo para dentro e disponho as flores ao redor do corpo de Beatrice, envolvendo-a numa mistura de cheirosas flores verdes, violeta, azuis e cor-de-rosa.

Imagino como será me encontrar com Vincenzo e conversar com ele. Talvez ele me ajude a ficar junto dela — a manter viva esta lembrança. *Ele é o par perfeito para mim,* ela me disse numa de suas cartas. Numa outra carta, comentou como seu casamento com ele seria bom para nós todos. E, sim, eu me lembro de ela dizer que ele era bom e generoso. Pelo menos, *acho* que me lembro dela ter dito isso.

Faço o arranjo de uma coroa de flores brancas em seus cabelos dourados. Porém, as pétalas luminosas dão a ela uma aparência ainda mais vazia e, agora que foram arrancadas de seu lugar natural, elas começaram a murchar. Será que achei que ao cobrir seu rosto com flores eu traria sua vida de volta? Seu corpo é um instrumento musical quebrado que nunca mais será capaz de produzir música.

Beijo sua testa gelada. Há uma pilha de gravetos na lareira cheia de fuligem, e acendo uma fogueira. Fico em pé ao lado do caixão, com o olhar fixo em seu rosto de cera.

— Beatrice, você se lembra de quando fiquei presa no topo do cipreste, no pátio? Pulei e você me apanhou. Você nos fez rolar no chão, me fez cócegas, e rimos tanto que lágrimas escorreram pelo meu rosto. — Seguro sua mão flácida com a minha e rio com essa lembrança, impressionada por meu corpo ainda ser capaz de produzir o riso.

É neste momento que vejo algo estranho. Meu desconcerto é condensado em medo, assim como o hálito quente contra o frio de uma vidraça. Há uma marca pálida no dedo dela, no lugar onde deveria estar seu anel.

Um arrepio me percorre o corpo. Olho para meu anel trançado de ouro, e a letra de Beatrice parece surgir diante de meus olhos: *Eu uso nosso anel. Nunca o tirarei do dedo...*

Faustina caminha de leve pelo corredor, trazendo um prato com pêssegos numa bandeja de prata. Ela diz que preciso comer e ralha comigo por eu estar magra.

— Faustina, onde está o anel de Beatrice?

Ela coloca a bandeja numa mesinha baixa ao lado da porta e se aproxima de mim.

— Que anel, minha querida?

— O anel que ela sempre usou. Sabe qual? Exatamente igual a este aqui. — Mostro minha mão em frente ao rosto, como um leque. — Ela estava usando o anel no dia em que morreu?

— Querida, não me lembro. Tanta coisa estava acontecendo, e eu...

— Alguém deve ter tirado dela — digo.

Faustina pega minha mão e me leva para longe de Beatrice. Seus movimentos são lentos e cansados.

— Não há nada que possamos fazer em relação a isso agora, minha pequena. Por favor, tente não ficar tão perturbada. Isso não a trará de volta.

Mas minha mente continua martelando, e sinto algo novo dentro de mim, inchado e dolorido, como se fosse um furúnculo. Quem foi que pegou o anel de minha irmã?

Faustina apanha a bandeja com pêssegos e me conduz escada acima.

— Vamos, minha criança. Coma. Faça isso por mim.

O pêssego tem um sabor amargo. Eu o cuspo na palma da mão.

Capítulo 7

— *S*TELLINA, *STELLINA*. *B*ELLA *STELLINA*!

A voz de Beatrice flutua em meu quarto. Nossa velha canção paira no ar matinal. Jogo as cobertas para fora da cama e caminho suavemente até a porta, pelo corredor e escada acima, seguindo aquele som alegre e cheio de esperança. Por alguma razão, ela está nos aposentos dos criados, no piso superior do palácio.

Ela voltou para mim. Nem tudo está perdido!

A voz fica cada vez mais clara, mais límpida. A solidão que sinto com a ausência dela começa a desaparecer à medida que meus pés descalços correm pelo mármore frio. O primeiro dos quartos do piso superior está trancado. Bato à porta, solto um resmungo e então corro até a porta seguinte. Giro a maçaneta. Irrompo no quarto e encontro Faustina dobrando lençóis. Seu rosto suave se mostra atônito.

— Minha querida! — diz ela. — O que é que você está fazendo?

Viro-me e saio correndo do quarto. Eu hei de encontrá-la. Sei que ela está aqui, em algum lugar, à minha espera. O volume da melodia fica mais alto. Tropeço enquanto corro, escada acima, até o último lance de escadas — o mais alto do palácio. No topo, há um pequeno quarto, que servia de sala de costura para minha mãe.

É de lá que vem a música. Abro a porta.

É Bianca.

Enquanto canta, ela costura um vestido de veludo vermelho, caro e sedutor, bordado com joias na altura do peito. Suas cores são tão ricas e intensas, suas contas e pedras, tão deslumbrantes, que basta eu olhar para ele para que minha desesperada fantasia seja destruída. Beatrice não está cantando. Beatrice está morta.

Escorrego até o chão, tentando recuperar o fôlego.

Bianca se aproxima, correndo.

— *Signorina*! Eu não me dei conta... — Ela vasculha por entre as cestas de tecidos e linhas e tira dali um lenço, com flores de laranja bordadas nas extremidades. Ela me estende o lenço, que esfrego no rosto molhado.

Quando volto a respirar normalmente, sorrio para ela.

— Você tem uma voz linda — digo a ela. — De onde conhece essa música?

O rosto dela ganha uma expressão serena.

— Foi sua irmã quem me ensinou.

Ouço os passos lentos de Faustina nas escadas. Bianca pega em minha mão e me ajuda a levantar, enquanto tento encarar o vazio de minhas vãs esperanças.

Faustina contorna a porta, franzindo a sobrancelha, preocupada. Mas sorri ao ver o vestido vermelho e passa a mão em seus vincos macios.

— Bianca, está lindo... e está quase pronto!

— Pronto para quê? — pergunto.

Os olhos de Faustina cintilam.

— Para você, minha querida. Você deve vesti-lo hoje à noite, quando se encontrar com Vincenzo.

Não tenho conseguido comer. Não consigo relaxar. Haverá uma festa, Faustina me diz. Uma reunião dos nobres de Veneza no palácio do duque. Passo a manhã vagando pelo pátio, imaginando como será a noite e tentando me dar conta de que estou prestes a ir a uma festa, enquanto o corpo de minha irmã jaz imóvel e frio.

Terminamos de almoçar. Faustina, Bianca e eu nos reunimos em meu quarto. Elas me dão banho e me vestem, mas isso não se compara aos banhos frios que eu tomava no convento. Há um clima pesado de expectativa em tudo: o ruído da água espirrando; a mistura dos óleos; meu corpo sendo enxugado; o borrifar dos perfumes. O farfalhar do vestido vermelho-vivo que Bianca traz da sala de costura. Ele farfalha pelo chão de modo conspirador — fitas, seda, veludo e cetim. Bianca me ajuda a vesti-lo. Um silêncio profundo se instaura. Eu deveria me vestir de preto, como é o costume para quem está de luto. Mas roupa preta não é atraente e não devo ser menos que isso esta noite. Faustina me diz que elas foram instruídas a criar uma obra de arte. Ela se coloca em pé atrás de mim, apertando os laços do corpete, enquanto Bianca ajusta o decote. Seu rosto é solene, e seu foco está centrado no desafio da tarefa.

O vestido pronto, Bianca escova meus cabelos até desfazer por completo os nós das madeixas. Annalena ficaria orgulhosa. Faustina me faz a manicure, despejando uma gotinha de azeite nas palmas das mãos para deixá-las mais macias. Bianca me pede, murmurando, que eu abaixe a cabeça, e finca dois pentes de osso — cravados de pedras preciosas — em meus cabelos.

Elas se afastam para avaliar o resultado. Bianca acena com a cabeça num gesto de aprovação e Faustina me empurra delicadamente até a antessala, me colocando diante do espelho.

— Olhe para você — ela sussurra.

Passei muitos anos vestindo roupas surradas, nas cores marrom, preto e cinza, o cabelo escondido sob uma touca, as mãos ásperas devido ao trabalho. Agora, estou diante de um sonho. A garota que vejo nele não tem nada a ver comigo. Sua imagem nunca esteve refletida em meu pedaço de espelho secreto no convento. Meu cabelo brilha tanto que quase cintila. Minhas unhas estão brancas. Sinto-me suave e brilhante. Não consigo parar de olhar para mim mesma e percebo uma onda de entusiasmo me percorrer o corpo.

Faustina me segura pelos ombros, olhando para o espelho com sua velha bochecha encostada na minha.

— Querida, você está perfeita!

Bianca discorda.

— Hmmm — diz ela, franzindo a testa. — Quase, mas não completamente. Já sei qual deve ser o toque final.

Ela vai correndo ao quarto e volta trazendo uma caixa escura de madeira, que reconheço. Ali estão guardadas as joias de minha mãe.

— Não! — Faustina grita para Bianca e rapidamente tenta lhe tirar a caixa das mãos. — Você não tem permissão para fazer isso.

Bianca segura a caixa no alto, fora do alcance de Faustina.

— Oh, pelo amor de Deus, este é o dia dela: ela tem que usar os rubis. Combinarão perfeitamente com o vestido. Ela ficará parecendo uma dama da realeza, e isso deixará seu pai muito feliz.

— Bianca, *não abra* essa caixa — diz Faustina. Sua voz tem um tom estranho: não de autoridade ou de irritação, mas de pânico.

Rindo, Bianca se afasta com um giro, desviando-se das mãos de Faustina. Ela segura a caixa diante de mim, abrindo rapidamente a tampa de dobradiças. Seu sorriso se transforma em decepção.

Não há nada dentro. Nem um único rubi. Nem uma única pedra.

— Elas *sumiram*! — grita Bianca. Ela joga a caixa vazia para o lado, e esta vibra ao cair no chão de mármore. — Temos que contar isso ao *Signor* Della Scala. Fomos roubados!

Com um suspiro, Faustina passa os dedos em seus cabelos grisalhos. Senta-se pesadamente na cama, os ombros caídos.

— Não, não houve roubo — diz ela, em tom firme.

Amparo minhas saias por cima do braço e me abaixo para pegar a caixa. Fecho a tampa e a estendo à minha ama. Sei que alguma coisa está errada.

— Faustina — pergunto —, o que aconteceu com as joias de minha mãe?

— Seu pai vendeu as joias — ela diz. — Os rendimentos dele não são mais como eram no passado. Eu tinha a intenção de... — ela então olha para Bianca — ... de explicar isso a você com mais calma.

Faustina ordena que ela se certifique de que a carruagem estará pronta para me levar à festa. Sento na cama e Faustina revela que meu pai vem se desfazendo dos tesouros do palácio. Isso é o que significam os espaços vazios nas paredes. Não me importa. O maior dos tesouros eu já perdi: o corpo dela estendido no caixão.

A carruagem está à minha espera. Bianca caminha junto de mim até a porta com um sorriso.

— A senhorita está animada para encontrar o duque? — ela pergunta.

Seguro no corrimão de pedra enquanto desço pela larga escadaria em curva, com receio de pisar nas dobras do tecido vermelho ou de tropeçar no piso de mármore.

— Está? — insiste Bianca. Há um quê de tristeza em seu tom de voz, e me dou conta de que muitas garotas nesta cidade devem estar sentindo inveja de mim esta noite.

Aperto a mão de Bianca.

— Se eu o encontrar, conto tudo a você em detalhes.

Meu pai aparece, saindo da biblioteca, aparentando ter o dobro de seu tamanho real, vestindo uma calça fina e um paletó de veludo castanho com largas ombreiras. Ao me ver, sorri, e a expressão de seu rosto se descontrai.

— Minha adorável Laura — diz ele, e meu rosto cora com o raro elogio. — Que maravilhosa! Você está linda.

Ele pega meu braço e saímos pelas ruas de Veneza.

Capítulo 8

Dentro da carruagem que desce ruidosa a rua de paralelepípedos, meu pai dá um tapinha em minha mão e me diz como devo agir e me comportar no palácio do duque.

— Vincenzo será o centro das atenções, claro, bem como vários membros do Grande Conselho. — Ele se inclina para a frente para retirar uma mancha invisível de minha capa. — Lembre-se, Laura, de que você não é mais criança. Hoje à noite você estará à vista de todos. Nosso futuro depende disso.

À beira do Grande Canal, descemos da carruagem e entramos na barca. Devido ao peso de meu vestido, um dos jovens barqueiros tem de me carregar até o deque. Suas mãos ao redor de minha cintura são largas e achatadas, semelhantes ao remo que permanece pingando sobre as águas. Ele sorri ao me colocar no deque, mas rapidamente desvia o olhar quando meu pai embarca e se senta na proa, as mãos pálidas e os punhos cerrados diante de si.

Acomodo-me ao lado dele, e a gigantesca barca se move pesadamente rumo à Praça São Marcos. Passamos pela Rialto — o arco de madeira escura que faz a ligação entre as porções leste e oeste da cidade — e seguimos na direção do mar aberto. Meu pai não parece perceber, mas sou capaz de sentir a apreensão dos últimos minutos de vida de minha irmã. Onde é que ela caiu? Foi em algum lugar perto daqui. Inclino-me um pouco e olho para a profundeza das águas, essa sepultura líquida e negra.

Passamos pelos edifícios brilhantes e pelas luzes de Veneza. As imensas casas projetam seu amplo reflexo na água, misturando-se ao reflexo da lua. Risos distantes ecoam nas duras superfícies de pedra.

Enquanto sombras e luzes se alternam, a expressão facial de meu pai é tensa, e percebo que seu rosto está maquiado para encobrir as rugas cansadas. Talvez esteja preocupado com a impressão que eu causarei. Haverá coisas que ele espera que eu faça e diga — regras que desconheço e rituais com os quais não tenho qualquer familiaridade, modos de conduzir conversas que me são estranhos. Sou capaz de cantar glórias a Deus durante horas. Consigo fazer com que um homem ensandecido beba óleo de peônia, domando-o como se fora um potro agitado. Sou capaz de me sentar em silêncio, durante horas, num pequeno quarto de convento, fingindo estar em oração. Mas não sei nada sobre festas.

O ar parece ficar mais denso à medida que nos aproximamos. Me sento com os punhos cerrados e os cotovelos apoiados firmemente nas costelas, e meu pai ri.

— Você está tensa demais — ele diz, delicadamente. — Menos rigidez, Laura. — Então, aponta e diz: — Olhe!

Vejo o palácio como se fosse algo emergindo da água. Branco e dourado. Arcos e mais arcos, piscando com as luzes da festa. Outros barcos seguem na mesma direção, deslizando para perto do cais, seus passageiros extravagantes prestes a desembarcar. Já se ouve um murmúrio de conversas vindo do interior da construção. E a música. Misturam-se os sons de alaúdes, sinos, flautas e cravos. Não se parece nada com a pureza solene de nossos cânticos no interior do convento. Chega a nossa vez, e o barqueiro manobra com destreza ao redor do ponto de desembarque. A música faz com que meu corpo se movimente. Já estou tomada por uma sensação de embriaguez.

— É lindo! — digo.

— É verdade — responde meu pai.

Uma multidão exuberante se aglomera na entrada do palácio. As pessoas lançam joviais "olás" e saudações de "como vai?" umas às outras. Tal como o palácio, os convidados também brilham. Belos, cheios de cores, adornados com joias. Criados e empregadas serpenteiam por entre eles, carregando cachecóis, capas e véus.

Ao pisar em terra firme e subir as escadas, minhas anáguas de seda farfalham ao tocar o piso de pedra. Tremo ligeiramente quando penetramos as sombras da entrada.

Dois criados nos abrem as amplas portas duplas e adentramos um grande corredor. As paredes são de mármore reluzente e os afrescos do teto retratam querubins sorridentes. No centro, a estátua de uma ninfa, com as mãos juntas coladas ao peito. Eu giro e vejo a mim mesma em cada uma das superfícies brilhantes. Mas esta não sou eu. Sou alta, aprumada e graciosa. Quando vejo meu reflexo na parede, meu vestido se parece com uma gema de rubi, tão brilhante quanto as pedras desaparecidas de minha mãe. Alguns olham para mim de um modo que me dá vontade de sorrir. Ora eles me encaram uma fração de segundo a mais, ora erguem as sobrancelhas como se eu fosse uma amiga esquecida, de muitos anos, e que agora está de volta.

Há um burburinho de vozes mais além. Passamos por um portal decorado e reluzente e entramos no salão de dança. Há espelhos dourados, e candelabros pendem do teto com centenas de velas soltando faíscas de luz que dançam e se agitam como fogos de artifício. Um quarteto de alaúdes toca uma música animada, suas notas pairando sobre as conversas. Seguro firme a mão de meu pai enquanto passamos por entre os convidados. Mulheres magníficas e belos homens entram juntos no salão de dança e então se separam. Os homens me sorriem com olhos penetrantes como flechas. Ao me deparar com alguns dos olhares fixos mais insolentes, percebo que nem todas essas pessoas são tão belas como parecem a distância. Usam maquiagem no rosto e a pele apresenta rugas ao redor dos olhos e dos lábios quando riem. Homens de ombros largos e bochechas rosadas em sapatos de couro que brilham a ponto de parecerem molhados. Fivelas de cintos reluzem. As mulheres em vestidos de seda brilhante agitam seus leques de renda. No ar, um forte aroma de perfume. Mas no meio da multidão contente se encontram aqueles que parecem estar isolados do cenário; eles conversam e flertam, mas seus olhos são fundos, de fome e de desespero.

— Eu me recuso a pagar por um gondoleiro novamente — queixa-se uma mulher de vestido azul. — Prefiro andar até gastar inteira a sola dos meus sapatos.

— Você tem que ser um criminoso para poder sobreviver — diz sua colega, abanando-se irritada com o leque. — Essas miseráveis guerras contra os turcos levaram o homem de negócios honesto à ruína completa.

Gargalhadas ecoam de tempos em tempos, como se tivessem sido planejadas — como se houvesse alguém por trás manipulando a alegria dos presentes, direcionando seus rompantes de deleite. Já ouvi esses sons antes. São ecos de minha infância — o ruído das pessoas glamurosas, dos privilegiados, dos poderosos, os ricos com seu tilintar e sua desarmonia.

Meu pai me cutuca o cotovelo, chamando minha atenção para duas mulheres.

— Diga olá. Queixo erguido. Sorria. — Quando faço isso, elas inclinam a cabeça e fazem uma reverência. Meu pai lhes faz uma mesura e, então, passamos para o próximo grupo de convidados. — Você está causando furor! Continue assim! — diz ele.

Não sei bem por que estou sendo elogiada, mas, de algum modo, não preciso sequer tentar ser sociável. Há um clima festivo que me faz querer sorrir, acenar com a cabeça e cumprimentar as pessoas. Alguns homens me examinam com os olhos como se houvesse uma mensagem escrita, indo do topo de minha cabeça até a ponta dos pés, e eles estivessem tentando lê-la. Fico imaginando o olhar reprovador da abadessa e sinto um frêmito de prazer.

Uma mulher alta num vestido prateado está em pé, conversando num grande grupo. Seus cabelos estão presos num coque, com mechas que brilham como o tecido prateado de seu vestido. A pele de seu rosto e pescoço é marcada com linhas delicadas, mas é clara e macia como a de uma menina. Apesar de ela conversar e rir com as amigas, seus olhos verdes estão fixos em mim.

Inclino a cabeça em sinal de cumprimento e ela sorri, numa mescla de espanto e aprovação. Sorrio de volta, e ela interpreta isso como um sinal, pedindo licença ao grupo e caminhando em minha direção. De imediato, perco o autocontrole. Procuro meu pai, mas ele não está mais a meu lado; eu então o vejo no meio de um grupo de homens. O que devo fazer? Não estou pronta para...

— Olá, Laura — diz a mulher, numa voz límpida e profunda. Ela pega em minha mão com movimentos graciosos. Como será que ela sabe meu nome? — Meu nome é Allegreza di Rocco. E você, Laura, é da família della Scala, não é? A irmã da pobre Beatrice.

— Sim — digo. — Sou. Quero dizer, eu era. Quero dizer, eu sempre serei. — Um fluxo de sangue deixa minhas bochechas em brasa.

— Você tem toda a razão. — A expressão no elegante rosto de Allegreza é serena. — Viva ou morta, uma vez irmã, sempre irmã.

Uma senhora idosa se aproxima dela, o rosto marcado de preocupação. Ela murmura algo baixinho para Allegreza, que concorda com um movimento de cabeça.

— Pedimos sua licença, Laura. Nós voltaremos a conversar. Em breve. — Ela coloca o braço ao redor da velha senhora e, delicadamente, a leva para longe dali.

Fico sozinha por um instante. Essa mulher, Allegreza... ela me conhecia. Ou, pelo menos, sabia a meu respeito. Mas o que será que ela quer falar comigo? É claro que uma garota recém-saída do convento não despertaria grande interesse nela.

— Senhora? — Um criado aparece a meu lado, carregando uma bandeja.

Pego uma taça com cuidado para não derramar o líquido dourado e cristalino. Ouço meu pai dando uma gargalhada. Ele ainda está reunido com outros homens na outra extremidade do salão de baile, e tentar chegar até ele, passando pelos demais convidados sem que me parem para conversar, me parece tão impossível quanto cruzar o Helesponto a pé; eu poderia ser tragada pela onda de indiretas ofensivas ou engolida pela avalanche de piadas que não compreendo. Portanto, continuo no mesmo lugar e bebo um gole de vinho. O sabor da bebida é de xarope e de verão, e, depois de anos bebendo a simples água de convento, sinto como se estivesse saboreando ambrosia. Quase de imediato, o sabor adocicado me sobe à cabeça. Annalena me contou, certa vez, que a abadessa guardava em seu quarto uma garrafa de vinho fermentado pelos monges na ilha de San Michele; uma vez, ao bater à sua porta, ouviu o tilintar da garrafa enquanto a abadessa a escondia às pressas. Não acredito que isso possa ser verdade, pois como é possível que ela pareça sempre tão azeda?

Os músicos interrompem o som de seus instrumentos e o salão silencia. Uma a uma, vejo as cabeças dos convidados voltando-se na direção das portas principais com ar de preocupação. Um casal com aproximadamente a mesma idade de meu pai está parado — ambos belos, altivos, solenes. Suas roupas são negras e, em meio às roupas vistosas e aos luxuosos tecidos dos trajes dos convidados, parecem um tipo de reprimenda. O homem olha fixamente para a frente enquanto segura firme o braço de sua esposa, como se segurasse um timão ao dirigir um barco. Ela olha para o chão e brinca com as contas de um rosário preto com dedos longos e pálidos. Os dois caminham devagar, mas com determinação, em meio aos convidados.

— Aqueles são quem eu estou achando que são? — um homem cochicha atrás de mim.

— Eles não deveriam ter vindo — diz uma mulher rotunda num vestido de seda verde.

A multidão se dispersa na outra extremidade do salão de baile, e vejo outra pessoa se aproximar dos recém-chegados. Só consigo ver seu perfil e, a seguir, vejo-a de costas. Veste um gibão púrpura com bordas douradas, e a gola de seu colarinho é alva. Dois guardas o acompanham logo atrás, com espadas penduradas na cintura.

— O duque está indo conversar com eles! — diz a mulher.

O duque? Lembro-me da empolgação de Bianca. Agora que estou no mesmo salão que os homens mais poderosos de Veneza, a curiosidade me queima por dentro. Os demais convidados se movimentam na direção dele, empurrando para ver o que acontecerá a seguir. Essas pessoas da alta sociedade que trocavam gentilezas estão passando por uma estranha metamorfose — uma transformação desagradável. Ou talvez tenha sempre sido assim: não propriamente um grupo de cidadãos civilizados, mas uma turba fétida. Isso faz meu sangue acelerar.

Chego mais para a frente, o máximo que posso, e me coloco na ponta dos pés para enxergar por cima das perucas e dos chapéus, só conseguindo me equilibrar devido à pressão da multidão.

O duque para em frente ao casal vestido de preto. Eles o olham com uma expressão rígida e triste. Quem são? Por que desafiariam o homem mais poderoso de Veneza? O duque balança a cabeça e volta-se então na direção dos guardas atrás de si.

Não pode ser.

Ao ver seu rosto pela primeira vez, me dou conta de que já vi esse homem antes, o duque. Sinto vontade de me esconder, mas não há para onde ir. Já senti em minha pele o ar que exalava de suas narinas. Já precisei segurar seus braços e me debater com ele como se fôssemos gladiadores ou animais.

O duque de Veneza é o louco do convento. E, neste salão, sou a única que conhece seu segredo.

Capítulo 9

O DUQUE ACENA PARA seus guardas, indicando o casal.

— Deem meia-volta e saiam pela porta por onde entraram — ordena.

Se a intenção de suas palavras era intimidá-los, o objetivo só foi atingido em parte. O rosto da mulher treme, mas a postura do homem é ainda mais altiva.

— Nosso direito de estar aqui é o mesmo de qualquer uma das famílias da província — diz ele. — Reivindicar esse direito: é para isso que viemos aqui.

Um sobressalto geral se espalha no salão.

— Vocês não têm direito algum a ser reivindicado — diz o duque. — Esta é uma reunião privada, e vocês não foram convidados. Como ousam vir aqui?

Eles não têm a chance de responder. Ele ergue o braço, forte e com firmeza — o mesmo braço que segurei para conter seus golpes. Os guardas agarram o casal, arrastando-o na direção da porta. A mulher grita e o homem vocifera:

— Você não insultará o nome de minha família. Os De Ferraras não serão humilhados!

— Pare. Já basta, Julius — sua esposa intervém. A expressão facial dela se contorce, causada por uma dor interna.

Os guardas os soltam, e eles caminham juntos na direção da porta. A mulher tenta segurar o braço do marido, mas ele se desvencilha.

As portas se fecham. A cena está terminada e a música recomeça. Uma vez exercido seu poder, o duque se mistura novamente à multidão e um séquito de convidados do sexo masculino o acompanha, todos sorridentes. Rezo para que ele não venha em minha direção. Na última vez em que nos encontramos, eu vestia meu hábito, e, quando nos falamos, ele estava meio entorpecido, mas mesmo assim olhou bem em meus olhos. *Sou um homem fraco. Fraco e dócil. Ninguém em Veneza pode ficar sabendo do meu sofrimento.* Suas palavras, pronunciadas no convento, ganham um novo sentido. Se Veneza soubesse o que eu sei, seus habitantes ainda assim lhe dedicariam tamanha lealdade?

Meus pensamentos devem estar estampados no rosto, pois a mulher de vestido verde que encontrei há instantes segura meu braço e me puxa na direção de sua roda de conversa.

— Oh, minha querida, não faça essa expressão de espanto! — diz ela.

Sorrio, em sinal de gratidão.

— Você sabe o que estava acontecendo ali? — pergunta uma mulher com penas no cabelo e sobrancelhas arqueadas.

— Não — respondo. — Não faço ideia.

As mulheres riem, deleitadas, imagino eu, em ter uma ingênua sob seus cuidados.

— Aqueles são os De Ferraras, Julius e Grazia — diz a mulher de verde. — Existe uma rixa entre eles e o duque e sua família. — Ela dá um tapinha em meu braço, em tom de brincadeira. — Como é que você vive em Veneza e não sabe disso?

— Eu estava... fora da cidade — digo.

— Talvez você fosse muito nova quando tudo começou. Já deve fazer dez anos. O duque mandou executar Carlo, o único filho dos De Ferraras, quando ele ainda era um jovem advogado — ela prossegue. — Aparentemente sob a acusação de conspiração. — Ela para e faz o sinal da cruz, a mão gorda movendo-se com rapidez à frente do peito.

A mulher com penas na cabeça continua:

— Julius praticou o único ato de vingança que lhe cabia: seus homens assassinaram Roberto, o filho do duque. Era um menino muito alto e bonito. Tinha apenas 11 anos de idade.

Os olhos dela brilham enquanto fala, mas não é pelas lágrimas. Eles estão repletos de histórias, experiência pessoal, relatos, motivações e velhas histórias de ajustes de contas.

— Ah, sim, foi horrível aquilo tudo! — exclama a mulher de vestido verde. — Os mais nobres entre nós são sempre os que correm o maior perigo, não é isso o que dizem? — As mulheres consentem com a cabeça, e ela suspira. — Mas os jovens são sempre motivo de preocupação. Dominados pela paixão e pelos princípios.

— Sempre aconselho ao meu filho que não leve a vida tão a sério — diz outra mulher. — Adicione uma pitada de sal às coisas, é o que lhe digo. Quero dizer, meu Deus, temos tanta coisa com que nos preocupar, já nos bastam os turcos e os piratas arruinando os negócios do meu marido. Sinceramente, nos dias de hoje, não consigo mais manter minhas filhas vestidas em seda.

Elas riem. A mulher gorda esbanja ouro com seu vestido verde colado aos seios fartos. Quem dera Annalena pudesse ver isso ou eu pudesse lhe contar tudo. Sinto vontade de me sentar à janela de nosso quartinho, a cortina branca dançando com a brisa, para vê-la arregalando os olhos.

O riso delas desaparece no momento em que fixam o olhar em algo atrás de mim. Viro-me e me deparo com um belo estribeiro, vestido num uniforme cinza e vermelho. A seu lado está o duque, acompanhado de uma mulher elegantemente vestida, que suponho ser sua esposa. Joias reluzem em suas orelhas e ao redor do pescoço.

O estribeiro aponta em minha direção com um floreio, e dou um passo à frente.

— Sua Alteza — ele diz ao duque –, permita-me apresentá-lo a Laura, filha mais nova de Antonio della Scala.

— Ah, sim — diz o duque. Ele olha diretamente para mim.

Minha respiração perde o ritmo e gaguejo enquanto faço uma mesura desajeitada.

— Sua Alteza.

Nos olhos dele não há o menor indício de que me reconheceu. Sua esposa me fita com um sorriso enigmático.

— Certifique-se de que Vincenzo a tratará bem — ela me diz.

Eles continuam caminhando e passam por outras pessoas, todas ávidas para dar um beijo no anel do duque, para lhe apertar a mão ou para ouvir uma única palavra do homem mais poderoso de Veneza.

Desvio-me de um casal que dança, demasiadamente envolvido com o olhar um do outro para notar minha presença. O vestido da jovem roça o meu enquanto o casal passa por mim. No meio do salão, pares rodopiam no ritmo da música. Fico impressionada com o modo como os casais se abraçam abertamente, como dançam de rosto colado.

Uma jovem com a expressão radiante atravessa rapidamente o salão, desviando-se dos casais em movimento. Há algo de familiar nela: muito bonita, ossos da face salientes, pescoço fino. Seu vestido é cor de creme, pontilhado com cristais, e seus ombros estão totalmente nus, à exceção dos cachos de cabelo preto. Neste momento, o sabor dos suspiros me vem à lembrança. Sim, eu a conheço. E também a sua avó, com seus *sospiri di monaca*. A última vez em que vi Paulina, ela era mais frágil e mais gorda. Uma menininha de bochechas rosadas se transformou nesta mulher adulta e esbelta.

— Olá, olá, minha adorável Laura! — ela diz, beijando-me rapidamente nas duas faces. Ela me abraça forte e me dá vontade de rir e, na sequência, de chorar. Isso porque ela era, ela *é* minha amiga.

— Faz quantos anos? — ela pergunta. — Quantos anos desde que eu vi você pela última vez? Quatro?

— Seis — digo. — Você está linda!

— Não tão linda como você! — ela responde. — Você sabe que todos os homens têm falado de você. Não tem flertado com ninguém?

Meu rosto começa a corar.

— Eu...

— Sei, sei — ri Paulina, que coloca um dedo em riste em minhas bochechas, em tom de brincadeira. — Você consegue até mesmo ficar vermelha de vergonha na hora que bem entende. Igualzinha à sua irmã. — As palavras lhe escapam da boca e parecem atingir o solo de modo tão pesado quanto a estátua que está no corredor. O sorriso dela desaparece do rosto. — Eu sinto muito.

— Está tubo bem — digo rapidamente, desesperada para mudarmos de assunto. — Como você está? Como está sua avó?

— Oh, ela morreu três anos atrás — diz Paulina. — Eu escrevi a você, mas você nunca respondeu. Nós todas achamos que você, afinal, tinha decidido dedicar-se inteiramente a Deus.

Lembro-me da abadessa segurando folhas de pergaminho por sobre a vela. A carta de Paulina deveria estar no meio delas.

— Eu escrevia a você o tempo todo — digo. — Nos primeiros dois anos. Às vezes, diariamente. Mas a censura era rígida.

Paulina aperta minha mão.

— Você se casou? — pergunto.

Paulina sorri de modo malicioso.

— Ainda não. — Ela abaixa o tom de voz: — Não posso lhe contar aqui, mas farei isso mais tarde. Mas me diga: como eram as coisas no convento? Ouvi dizer que ali são promovidas festas libertinas e que freiras ensandecidas colocam as nádegas para fora das janelas, à vista dos pedestres.

A risada dela ecoa pelo salão, chamando a atenção de todos, mas não me importo e rio junto.

— Não no convento onde eu estava — sorrio.

— Sei — diz Paulina em tom sério, mas seus olhos se movimentam de modo travesso. — É verdade que você é submetida a instrumentos de tortura quando comete algum pecado? E que é obrigada a fabricar colares com dentes de crianças?

— Não — digo, rindo e balançando a cabeça. — Nada disso. Era, acima de tudo, muito, muito entediante. De qualquer forma, eu quero é saber de Veneza, das festas, dos vestidos... bem, de tudo.

Ela sorri e respira fundo. Acho que não sabe exatamente por onde começar.

As pessoas que foram amigas no tempo de infância sempre encontram mil e uma coisas para dizer umas às outras, independentemente de quanto tempo ficaram afastadas. Durante o resto da noite, Paulina permanece ali; se não está a meu lado, está por perto. Agora que a encontrei, parece que minha nova vida ficará mais fácil. Ainda serei tão confiante e controlada quanto ela um dia.

— Venha — Paulina me chama, estendendo-me as mãos. — Venha dançar.

Um homem vestido com uma jaqueta de fios prateados se interpõe entre nós duas e coloca as mãos em volta de minha cintura.

— Venho tentando, a noite toda, juntar coragem para falar com esta adorável forasteira.

O olhar dele é afetuoso. Meu coração palpita quando me pego perguntando se este não é Vincenzo.

— Acho que em nenhum momento você carece de coragem, Pietro — Paulina o provoca.

— Ah, mas isso acontece — responde ele. — Sempre que tiro uma jovem encantadora para dançar.

Não, ele não é meu futuro marido. Mas a maneira como ele sorri me faz corar.

— Então — diz Pietro —, preciso saber, neste exato instante, pelo amor de Deus, quem é esta mulher maravilhosa.

— Meu nome é Laura della Scala.

— Muito bem, Laura della Scala, eu sou Pietro Castellano e acabo de descobrir a razão de eu ter vindo aqui esta noite: dançar com você.

Ele me conduz até o meio do salão. Tropeço ao tentar acompanhá-lo.

— Eu nunca dancei — eu lhe digo.

— Nunca dançou? Onde você esteve todos esses anos? Em um convento?

— Na verdade, sim.

Pietro ri. Acho que não acreditou em mim.

— Qualquer um é capaz de dançar. Até mesmo um sujeito desastrado e atrapalhado como eu. Deixe-me mostrar como se faz.

Ele tem razão. Por alguns minutos tenta, devagar, me mostrar alguns passos que pareciam complicados demais vistos de longe, ajudando-me a aprender o ritmo simples da música. Com uma das mãos, Pietro toca minha cintura e com a outra segura minha mão esquerda, enquanto deslizamos pelo salão, e então vejo nossos rostos sorridentes refletidos num dos espelhos incrustados de ouro. Eu, Laura della Scala, dançando com um homem que acabo de conhecer! Neste momento, sinto alguém apertando meu braço com firmeza. É meu pai.

— Com licença, Pietro. Preciso falar com minha filha.

— Sim, claro — diz Pietro, gentilmente. Ele me faz uma reverência. — Foi um prazer, Laura, um grande prazer.

Meu pai dá um sorriso tenso e me conduz pelo salão.

— Fico muito surpreso em saber que você precisa de um acompanhante para lhe ensinar como fazer as coisas.

— Pai, você se lembra de Paulina? Acabei de encontrá-la e...

— Sim, sim. — Ele não está mais olhando para mim, e sim acenando para alguém na multidão. — Você ainda tem muito a aprender.

— Paulina pode me ensinar — digo.

Meu pai sorri de modo complacente.

— Sob vários aspectos, Paulina é mais imatura que você. Isso é porque ela não teve pai.

A pessoa para quem ele estava acenando está vindo em nossa direção, em meio à multidão. É uma jovem com um rosto bastante pálido. Tem cabelo ruivo acobreado e olhos verde-azulados com cílios escuros. Sua aparência é impressionante. Reconheço-a como uma das velhas amigas de minha irmã.

— Aquela é...

— Carina! — meu pai termina a frase, abrindo os braços para recebê-la.

Carina o beija nas duas faces e a seguir volta seu olhar encantador em minha direção. Ela solta um grito agudo, levando a mão aos lábios vermelhos, e então suspira.

— Desculpe — diz, abanando o rosto com os dedos delicados. — Por um instante, achei... Você me lembra muito ela, Laura.

Suas palavras me trazem lágrimas aos olhos. Seguro nas mãos dela e a beijo.

— Obrigada — digo.

— Bem, deixarei as duas sozinhas, assim podem se familiarizar novamente — diz meu pai. — Laura, você pode pedir a Carina conselhos sobre qualquer assunto. Ela é a guia perfeita para uma jovem senhora de Veneza.

Se Paulina era minha melhor amiga, Carina era a melhor amiga de minha irmã, uma das muitas garotas que irradiavam energia e que sempre me pareceu bastante arredia quando eu era pequena. Quando ela me lembra do nome que usava naquela época — De Ferrara —, eu me dou conta de que é filha de Julius e Grazia, o casal vestido de preto e expulso da festa.

— Oh, não se preocupe! — diz ela. — Quando me casei, escapei da conversa sobre vendetas e bobagens do tipo. — Ela alisa a seda branca de seu vestido. — E já faz um bom tempo que deixei de usar minhas roupas de luto.

Ela conta que se casou com o conde Raffaello há um mês. Hoje é uma condessa. Aponta na direção de Raffaello, no meio da multidão. Uma figura esbelta; não é alto, mas tem pernas bem torneadas e espessos cabelos pretos encimando um rosto de soldado — largo e de traços bem definidos. Ele ergue uma taça para nós. Carina lhe assopra um beijo.

Compreendo o porquê de meu pai querer que eu aprenda com ela. A ambição dele é que *eu* me transforme em Carina. Talvez também haja, em certa medida, bondade na escolha de meu pai: talvez considere que o fato de eu compartilhar o luto por Beatrice poderá tornar este fardo um pouco mais leve. Imagino Carina e Raffaello visitando nossa casa — minha e de Vincenzo —, sentando-se conosco em nosso pátio, rindo e tomando goles de vinho.

Ela coloca seu braço alvo e macio em volta do meu.

— Vamos sentar para conversar — diz. — O seu pai deve estar muito orgulhoso por você estar pronta para assumir o lugar de Beatrice.

Balanço a cabeça.

— Ninguém seria capaz de fazer isso. Mas quero honrar a memória dela da maneira que eu puder.

— Ela venerava você, Laura. Tenho certeza de que você sabe quanto.

Juntamo-nos a Paulina e Pietro, que estão fazendo uma pausa entre as danças com um grupo de jovens, homens e mulheres. Todos estão radiantes.

Carina aponta para Pietro.

— Meu jovem — ela diz, em tom de brincadeira —, leve sua matilha embora por um instante. Deixe as damas recuperarem o fôlego.

— Minha matilha? — responde ele, arregalando os olhos e fingindo inocência. — Você está nos caluniando!

— Hmmm — diz Carina. Ela bate palmas. — Um pouco de privacidade, por favor, cavalheiros.

Os jovens se dispersam. Carina senta-se num banco almofadado, trazendo-me para junto dela. Paulina se senta do outro lado e as garotas se juntam a nosso redor.

— Então, vamos lá — diz Carina —, aqui vão algumas lições para uma garota recém-chegada à sociedade. Deixe-me pensar... por onde começo? Ah, em primeiro lugar, o acessório essencial para a dama veneziana.

Ela saca um leque de seu vestido como se fosse uma arma. Nele, a gravura de andorinhas agitando-se por entre os galhos de um cipreste. Os olhos dela cintilam.

— É uma maravilha para se refrescar nas noites quentes — diz Carina. — Perfeito para conversas secretas... sobretudo as relacionadas ao amor.

Ela coloca o leque diante do rosto, deixando apenas os olhos à mostra e piscando de modo sedutor. Paulina e as outras garotas riem.

— Um leque — prossegue Carina. — Um objeto simples, barato e fácil de achar, mas que vale uma fortuna. Certifique-se de ter um para cada roupa que for usar. Mas jamais preto e dourado, lembre-se disso.

— Por que não preto e dourado? — pergunto, com a sensação de que ainda tenho um milhão de coisas a aprender.

— Porque — diz Paulina — preto e dourado são as cores do leque da duquesa. Não importa o que ela esteja vestindo, seu leque será sempre preto e dourado.

Carina acrescenta:

— O duque e sua esposa definem todas as leis de Veneza. Meus pobres pais dirão isso a você em cada oportunidade que tiverem.

Os músicos começam a tocar uma nova peça, e as garotas se apressam em juntar-se a Pietro e seus amigos. Eles pegam nas mãos uns dos outros e rodopiam numa dança sofisticada. Carina, Paulina e eu continuamos sentadas. Elas abrem completamente seus leques espetaculares.

Por detrás do leque de ossos e seda, fico sabendo de detalhes sobre as pessoas que passam diante de nós. Uma mulher tem a fama de manter casos com homens de posição social inferior. Carina diz que todos chamam seu palácio de "morada dos barcos", pelo fato de ela entreter vários gondoleiros enquanto o marido está viajando. Há um homem à beira da falência, buscando desesperadamente obter favores antes que sua fortuna inteira entre em colapso. Em seu rosto, uma expressão assustada. Há algo de cruel em ficar falando das pessoas dessa maneira, mas me vejo tragada por uma onda de fofocas e escândalos.

Levo um susto quando Carina e Paulina fecham seus leques repentinamente. Elas se levantam, colocam os ombros para trás. A expressão facial de ambas congela.

Um velho caminha em nossa direção — mais idoso que meu pai, curvado e magro. Também me levanto, mais devagar. O homem sorri. Tufos de pelos lhe saem das orelhas na forma de fios brancos. Marcas marrons, próprias da idade, se espalham por suas mãos e rosto como manchas de ferrugem molhada. À exceção de seus olhos estreitos, que piscam e lacrimejam, o resto de seu corpo parece estar numa espécie de paralisia. Quando, por fim, ele começa a falar, o cuspe se acumula nos cantos de sua boca.

— Boa noite, Laura — diz ele. — Sou eu, Vincenzo.

Capítulo 10

Meu estômago se revira e sinto ânsia de vômito. Meu pai está observando a cena, do outro lado do salão, e pressinto que outras pessoas também. Aperto os vincos de meu vestido vermelho para cessar o tremor em minhas mãos. Porém, tenho experiência de seis anos no exercício de um ofício, à qual posso recorrer: as lições aprendidas no convento têm uma boa serventia. Desenho um sorriso com os lábios e mantenho uma expressão parecida com uma máscara.

— *Signor* — digo.

Vincenzo sorri para mim. Sua boca é um buraco negro. Sou capaz de ver, lá dentro, os dentes partidos, amontoados de modo irregular. Ele faz uma mesura sem parar de olhar para meu rosto e então estende os braços.

— Minha querida, você me acompanharia nesta dança?

Carina e Paulina me encaram.

— Está bem — respondo. Não vejo outra atitude a tomar.

Juntos, fazemos evoluções pelo salão. Se as mãos de meu parceiro anterior eram suaves e doces, as de Vincenzo parecem insetos monstruosos rastejando ao redor de minha cintura. Faz com que seu corpo se choque contra o meu; talvez acidentalmente, talvez não. Por três vezes me pisa nos pés, e minhas sapatilhas brancas de cetim são manchadas pelas solas de seus sapatos de fivela preta.

Seu hálito é azedo. Viro o rosto de lado.

— Ah — ele se irrita —, você é tão tímida como era a sua irmã!

Pobre Beatrice. Não posso culpá-la por me ter feito acreditar que estava feliz e apaixonada. Imagino as coisas horríveis que guardou consigo em relação a este homem. Um homem que tem meu futuro em suas mãos velhas e nojentas.

Vincenzo aperta o braço contra minha cintura e me aperta a mão, como se suspeitasse que eu poderia tentar escapar. Por cima de seu ombro ossudo, vejo os convidados nos encarando. Alguns aplaudem e riem. Outras sussurram por detrás de seus leques. Meu pai faz um sinal de aprovação com a cabeça quando Vincenzo me arrasta para perto dele, as rugas de seu rosto parecendo mais profundas.

Vincenzo coloca a mão um pouco acima, em minhas costas, e eu estremeço.

— Oh, você me acha feio demais, velho demais. É isso, jovem Laura?

— Não, não — digo rapidamente. — Meu pé está doendo.

— Eu pisei em seu dedo, minha pobre garota? Não faz mal... mais tarde eu o beijarei. — Ele para de sorrir e escarnece: — Diga uma coisa, você tem mais alguma queixa contra o homem que salvará seu pai da penúria e da vergonha? A cor do meu traje, por exemplo, ou a velocidade com que danço? Vamos lá, minha pequena, você pode me dizer.

Não digo uma palavra. Tudo em que consigo pensar é que me transformaria, de bom grado, numa Noiva de Cristo neste exato momento e poderia passar o resto da vida polindo, ajoelhada, as mesas de comunhão no altar.

Por um instante, ele interrompe a dança no canto do salão.

— Muito bem — ele prossegue. — É a minha vez, então. Primeiro: nada de olhares para o lado, nem para qualquer lado, aliás, na direção de jovenzinhos estúpidos que adorariam provar uma fatia de sua jovem carne macia. Eles que fiquem desejando-a. — Com um dedo magro, ele desenha uma linha invisível, de meu ombro até a ponta de meu dedo médio. Sinto um calafrio. — Segundo: a única coisa com que você tem que se preocupar é obedecer às minhas ordens. A obediência é o atributo mais atraente da boa esposa. E eu sei — diz, enquanto segura meu queixo, apertando-o até doer — que você será uma ótima esposa.

Afasto-me dele. Um vômito azedo me sobe pela garganta. Preciso sair. Preciso de ar fresco. Enquanto abro espaço por entre a multidão, correndo na direção das portas duplas, ouço-o gritar:

— Lembre-se de voltar, minha querida!

Corro pela antessala com piso de mármore, passo pela estátua melancólica e pelos criados atônitos. Através de uma porta no final de um longo corredor, avisto os mastros dos barcos no porto e corro na direção deles. Subo numa varanda comprida, apertando as mãos quentes contra as balaustradas de pedra. Respiro fundo. Inclino-me na direção das águas negras e deixo a brisa refrescar meu rosto corado.

— Alguém me ajude! — sussurro. É uma prece em vão, pois ninguém é capaz de atendê-la. Nem Faustina, nem Bianca, nem Paulina, tampouco Carina. Estou sozinha.

Tremo com o vento da noite, mas ainda não estou pronta para voltar ao salão de baile. Há uma porta na extremidade da varanda, numa parede do palácio. Caminho até lá, giro a pesada maçaneta metálica e entro.

Em pé sobre um andaime de madeira, olhando-me fixamente, está o homem mais lindo que eu já vi.

Capítulo 11

Ele veste uma camisa branca, manchada de tinta e com as mangas arregaçadas. Está aberta ao redor do pescoço, exibindo o peito cor de oliva. Seus cabelos e olhos são quase negros, os ossos da face, salientes à luz das lamparinas. Sua aparência é a de um anjo.

— Perdão — digo, gaguejando, ainda agitada com o choque que tive com Vincenzo. — Já estou saindo.

— Não — ele diz rapidamente, fazendo uma mesura. — Quero dizer, não há necessidade, minha senhora.

Em seu braço, uma paleta oval repleta de cores mágicas; na mão, um longo pincel preto. O andaime está colocado junto a um mural decorado com um afresco semiacabado. Nele, os três magos visitam a Sagrada Família: em destaque, a auréola do menino Jesus, folheada a ouro, e ao fundo posso distinguir os domos e as torres de Veneza. A sala é ampla e espaçosa, mas a mobília está coberta com lençóis e as paredes são apenas revestidas de gesso. O fogo crepita dentro de uma lareira de mármore, iluminando o rosto do homem enquanto ele desce do andaime, vindo em minha direção.

— Você é um artista — digo e, de imediato, me sinto uma idiota.

Mas ele consente com a cabeça, sorrindo.

— Um artista aprendiz. Comecei pintando quadros para o duque e sua família, e agora ele me encomendou outros trabalhos. A pintura desta sala, por exemplo.

A voz dele é baixa e suave. Vincenzo, meu pai e a festa... tudo parece muito distante.

— Deve ser maravilhoso ter um talento como esse — digo. — Você estudou por muito tempo?

— Nem tanto — ele responde. — No início, eu queria ser matemático. Embora a arte e a lógica sejam apenas maneiras diferentes de fazer as mesmas coisas.

— Que tipo de coisas?

— Bem... revelar a beleza que há nos modelos e padrões, dar sentido ao mundo, projetar luz em momentos importantes.

Ele está diante de uma mesa de madeira sobre cavaletes, repleta de potes de tinta, pigmentos em pó e pincéis. Com cuidado, ele adiciona uma pitada de pigmento amarelo às cores azul e marrom, compondo um suave verde-oliva. Há uma serenidade muito grande aqui dentro; não sinto vontade de ir embora.

— Você se incomoda se eu ficar observando enquanto você trabalha? — pergunto.

— Isso me agradaria — ele diz.

Ele retira um dos lençóis, revelando uma cadeira de madeira, o assento forrado com couro e os pés moldados com a forma das patas de um leão. Eu me acomodo nela, e ele aplica um pouco do verde-oliva na paleta.

— Dançou demais? — ele pergunta.

— Não sou muito boa nisso.

Ele acena com a cabeça em sinal de empatia e continua a colocar tinta na paleta. O silêncio fica mais intenso, e não resisto a dar batidinhas com os dedos dos pés, feito uma menininha.

— Você sempre morou em Veneza? — pergunto.

— Bem, eu morava na cidade quando era pequeno, mas estive fora durante alguns anos. Só voltei recentemente.

— Eu também — digo a ele. — Ainda estou me acostumando ao lugar novamente. Por enquanto, tudo é muito misterioso para mim.

Ele sobe no andaime e se senta na plataforma, no topo. Mergulhando o pincel na tinta, delineia a folhagem nas bordas do afresco com pinceladas delicadas.

— Veneza é uma cidade de segredos — diz ele. — Todos parecem ter um.

Penso no patrimônio de meu pai, que está se dilapidando; no fingimento de Beatrice perante Vincenzo; na doença do duque.

Ele se inclina para trás e olha para a folha que acaba de pintar.

— Mas o que eu poderia saber sobre segredos? Sou apenas um pintor.

— Você não tem nenhum? — pergunto.

Seus olhos delicados pousam nos meus. Ele faz uma pequena pausa, então sorri e aponta para o centro do afresco, onde está a Virgem Maria, em pé. Com o Menino Jesus nos braços, ela olha para o céu. Usa um vestido de intenso azul — mais intenso que o céu do meio-dia ou que a mais brilhante das safiras.

— Sou o único pintor de Veneza que sabe chegar a esta coloração. É por isso que o duque aprecia o meu trabalho.

— Como é que você consegue obter essa cor? — pergunto.

Ele repousa o queixo na mão, estreitando os olhos cintilantes, enquanto finge considerar minha pergunta.

— Não contarei a ninguém — insisto. — Juro.

— Bem, nesse caso... — Com um gesto, ele pede para eu me aproximar. Subo no primeiro degrau do andaime, e ele me sussurra: — Primeiro você filtra a água através de um tecido fino de musseline, até ela ficar absolutamente pura. Em seguida, tritura delicadamente um pouco de lápis-lazúli e mistura tudo com óleo de avelã. Então, despeja água sobre essa mistura e a deixa descansando de um dia para o outro.

Balanço a cabeça.

— Não me admira que nenhum outro pintor tenha descoberto isso.

Ele fica me olhando por um breve instante.

— Oh, não! — diz, quase contendo a respiração, embora mostre um sorriso no canto dos lábios vermelhos.

— O que foi? — pergunto.

— Estou sob o seu poder agora. Posso confiar em você? — Seu olhar me mantém grudada nele.

— É claro...

A porta se abre, e ambos nos viramos ao mesmo tempo. É Carina.

— Laura! Eu estava à sua procura pelo palácio inteiro. Os criados viram você vindo por este lado... —Ela olha de relance para o pintor, que rapidamente se coloca em pé, afastando-se de mim. — Estava começando a ficar preocupada. Volte para a festa. Ainda há tantas pessoas a quem eu quero apresentá-la!

Ela me conduz pela mão e me puxa pelo corredor. Quando o olho novamente, ele está me observando, mãos na cintura.

Carina me apressa, no corredor. Ela murmura:

— Num minuto você está num convento; no seguinte, começa a se associar a criados em salas secretas! Meu Deus, o que seu pai diria?

Sei bem que ela só está me provocando, mas sinto uma ponta de reprovação em suas palavras.

Capítulo 12

Eu tinha certeza de que choveria no dia do funeral de minha irmã. Estava certa de que os pássaros silenciariam e as flores se recusariam a mostrar sua beleza.

Mas tudo está resplandecente — o céu tem o mesmo azul que vi no afresco semiacabado. Pombas arrulham nas árvores. Enormes peônias se exibem como as mulheres obscenas que infestam as ruas atrás da Praça São Marcos.

Por mais que eu tente desviar o pensamento de Vincenzo, ele me volta à mente. Sinto-me culpada por estar dando tamanha importância a meus problemas pessoais num dia triste como hoje. Embora eu odeie constatar isso, há até uma pequena parte de mim mesma que se ressente em relação à minha falecida irmã por ter me destinado tal sorte. Não que eu possa desejar a alguém o mesmo destino.

Fujo na direção do pátio. Faustina e Bianca me puseram num vestido de tafetá preto, longo e de saia ampla. Ele farfalha como árvores numa tempestade. Quero permanecer calma e silenciosa e sozinha, mas do outro lado do muro, onde Beatrice e eu brincávamos, me chega o som de vozes. Uma delas é a de Bianca e a outra me parece ser de uma menininha. Elas riem baixinho. Caminho na direção delas, roçando o vestido em folhas e galhos finos.

— Escute bem — diz Bianca —, dando alguns pontinhos aqui e ali, parecerá que ninguém nunca o usou. Vou poder caminhar até o Lido, e as pessoas pensarão que sou uma verdadeira dama de Veneza!

Subo no banco e espio por sobre o muro. Bianca tem nas mãos um vestido de seda amarela que se derrama sobre seus joelhos como ouro derretido — o vestido que Beatrice usava quando se afogou. Deixo escapar um suspiro. Bianca olha para cima enquanto a menininha salta do lado dela.

— *Signorina* Della Scala, boa tarde. Quero dizer, perdão. — A menininha sai correndo apressada e Bianca enfia rapidamente o vestido na cesta de costura. — Minha intenção era que a senhorita não visse... Seu pai disse que eu poderia ficar com ele. A senhorita não deveria estar ao lado da sepultura neste momento?

Desvio o olhar da seda enfeitada.

— O funeral ainda não começou — digo, afastando-me.

No caminho de volta para a casa, ouço gritos de Faustina.

— Laura! Laura! Laura! — Ela chega ofegante no pátio, as mãos agarradas ao avental preto. Segura meu rosto com as mãos grandes e envelhecidas. Elas são quentes e confortadoras, e uma parte de mim se sente como a garota pequenina que já fui um dia. — Precisamos nos juntar ao seu pai.

A partir da capela de Santa Helena, o esquife é carregado por seis homens de olhar inexpressivo e casacos pretos. Coloco-me ao lado de meu pai; Faustina, atrás. Lysander foi comunicado por carta sobre o falecimento, mas a notícia talvez ainda não tenha chegado a ele. A procissão de acompanhantes enlutados segue seu destino, o cemitério. Ao chegarmos, uma multidão de conhecidos já se encontra ali, esperando para apertar a mão de meu pai. Ele pressiona os lábios e acena com a cabeça, agradecendo a todos por terem vindo. A intervalos regulares, dirige-me o olhar com um sorriso pesaroso, o que não me traz qualquer conforto.

Os mantras vazios das pessoas presentes e suas condolências inúteis têm efeito inócuo sobre mim. Um homem se apresenta com o nome de Carlito, primo de meu pai. Diz o quanto lamenta a morte de Beatrice e que sua esposa gostaria de estar se sentindo bem o suficiente para juntar-se a nós. Murmuro um agradecimento. Uma velha senhora banguela, que não reconheço, diz ofegante:

— Ela era um anjo. Uma perda tão grande... — e então sai, arrastando os pés e tossindo alto.

Sei bem que essas pessoas que vieram partilhar de nosso luto estão sendo gentis, mas a maioria delas me lembra baratas que se aglomeram em pequenos grupos, movimentando-se com rapidez para prestar suas homenagens e tagarelando alto.

— Gostaria que todos fossem embora — sussurro para Faustina.

— Precisamos chorar a perda dela em público, minha querida. É isso que devemos fazer — responde ela, colocando um lenço em minha mão.

Coloco-me em pé no canto superior do túmulo de Beatrice. A grama e as flores foram arrancadas da cova onde ela será enterrada. Caules partidos emergem em meio à terra revirada. O manto do padre balança ao vento enquanto ele entoa o cântico:

— Que a luz eterna brilhe sobre ela. Que ela descanse em paz. Que os santos a confortem, que as lágrimas de Cristo a curem, que a Mãe de Deus a acolha amorosamente em seus braços.

Percebo uma sombra escura perto de meu ombro. Como um abutre, Vincenzo aparece, curvado e esfregando as mãos. Inclina-se para perto de mim, e sinto seu hálito quente em meu pescoço.

— Aqui, à beira da morte — diz ele —, plantamos as sementes de nossa futura felicidade e da de sua família. Não é uma coisa maravilhosa para nós, Laura?

Eles colocam a tampa no caixão. Abaixam o corpo de Beatrice até o fundo, na terra fria, onde luz nenhuma jamais penetrará e onde pássaros jamais cantarão. A nosso lado, três mulheres com ar solene tocam harpas decoradas com querubins dourados. As notas pairam no ar, mas, no lugar do som dos anjos, só ouço o dedilhar e o ruído seco das cordas.

Fico parada ao lado do túmulo de Beatrice enquanto meu pai se despede das pessoas. Meus olhos estão cobertos de lágrimas; quando as enxugo, percebo que não estou totalmente sozinha. Uma senhora de cabelos grisalhos e postura majestosa se aproxima de mim. É Allegreza di Rocco — a mulher que encontrei no palácio do duque.

— Laura — ela diz, com delicadeza. — Posso lhe falar um momento, minha pequena?

Aceno positivamente com a cabeça.

Allegreza me segura no braço, e seguimos andando pelo caminho, distanciando-nos de meu pai e dos outros. Os ciprestes cheios de sulcos se curvam sobre nós. As lápides tortas nos espreitam.

— Na opinião do seu pai, o seu dever é casar-se com aquele homem horrível — ela diz.

A ira em seu tom de voz me impressiona e afasto meu braço do dela.

Allegreza acaricia minha bochecha.

— Não tenha medo — ela diz. — Essa união entre você e Vincenzo contraria as leis da natureza. Não há uma única mulher em Veneza que não lamente por você. Eu posso ajudar, se você me ouvir com muito cuidado. Esta noite, assim que der meia-noite, você deve vir nos visitar.

Ela me pega na mão e coloca em minha palma um pedaço de pergaminho.

— Quando tiver lido o que está escrito aqui, queime isto. Você compreendeu?

— Sim — digo, embora não tenha entendido coisa alguma.

— E não diga nada a ninguém — acrescenta.

Capítulo 13

— MINHA NOMEAÇÃO PARA o Grande Conselho já está praticamente garantida!

Meu pai sorri. Seus dentes e lábios estão manchados de vinho, o que lhe dá uma aparência cruel e ligeiramente alucinada.

— Laura, você consegue imaginar o que isso significa?

Não consigo, mas digo:

— Sim, papai — e empurro as sardinhas grelhadas em meu prato.

— Lysander não serve para nada — diz ele, cortando o ar com o garfo. — Sempre com o nariz enfiado entre livros e poções. Mas você é uma boa menina. E sua irmã também era uma boa menina, e eu sou um homem de sorte. — Seus gestos ficam largos e desajeitados. Ele bate a taça de vinho em meu prato e murmura um pedido de desculpas à taça.

Deslizo a mão até o bolso do vestido, buscando o pedaço de pergaminho que Allegreza me passou. *O monastério de San Michele*, leio. Sob o título, o símbolo de uma chave. Visualizo o rosto intenso e nobre de Allegreza em minha mente e me pergunto se fazer o que ela me pede é sinal de sabedoria ou de loucura.

— Temos ainda tanta coisa a ser preparada para o casamento. — As palavras de meu pai são incompreensíveis. — E depois você estará entretida com as exigências do seu *boudoir*!

Quando compreendo o que ele quer dizer, perco o apetite. As dúvidas que eu tinha em relação a Allegreza se dissipam por completo.

Enquanto os sinos da torre de São Marcos badalam longínquas 11 horas, observo o pergaminho sendo consumido pela chama da vela. Jogo-o dentro da lareira.

Visto-me rapidamente, em silêncio. Bianca acaba de transformar um dos vestidos quentes de Beatrice em uma capa e a colocou no espaldar da cadeira ao lado da cama. De um azul muito escuro e com forro de cetim púrpura brilhante, ela desliza suavemente em meus braços. Caminho até a porta na ponta dos pés e recuo quando ela se abre. Retiro o capuz de seda e rezo uma prece à abençoada Virgem Maria — muito embora eu tenha quase certeza de que ela não aprovará o que estou fazendo. Passo silenciosamente pela porta de meu pai, desço a escada de mármore e sigo na direção de sua biblioteca. Recolho algumas moedas de uma pequena bandeja em sua escrivaninha e despejo-as em minha bolsa de veludo. Mordo o lábio enquanto abro a porta lateral do palácio e saio.

Em meio à escuridão, corro na direção do canal. Sombras compõem formas esguias no piso e nas paredes enquanto avanço apressada, capuz na cabeça e olhando para baixo. A agitação e o marulho das águas escuras soam como o mastigar ruidoso de uma fera faminta. A melodia de um canto distante flutua no ar. Calma. Calma.

Um gondoleiro está encostado na doca, preguiçosamente mexendo na água com o remo.

— *Signor*?

Embora o medo circule em meu sangue, me ocorre a lembrança de que jamais dei ordens a um homem antes.

— Pode me levar a Saint Michele? Ao monastério?

Ele franze a testa.

— Na costa norte, não é?

Aceno positivamente com a cabeça, embora não faça a mínima ideia. Espero que ele tenha razão.

— Estou com pressa — digo.

Ele me encara com curiosidade e então me estende o braço. Seguro nele, e embarco.

— Gôndolas não são muito rápidas — diz ele —, mas irei o mais rápido que puder.

Empurrando o remo contra a beirada para impulsionar o barco e produzindo um ruído metálico abafado, ele parte. Na escuridão brilhante, com as luzes noturnas de Veneza piscando para mim, sinto um arrepio de liberdade me percorrendo a espinha. Esta é a primeira vez na vida que escolho meu próprio caminho.

Entrego-me quase plenamente ao prazer da travessia. Enquanto rumamos na direção sul, os domos e as pequenas torres se elevam nesta nossa cidade fluvial, um branco prateado contra o céu negro. O gondoleiro cria redemoinhos nas águas negras, conduzindo o barco de modo quase mágico. Contornamos um dos canais setentrionais e atravessamos a laguna.

— O que uma jovem como a senhorita está fazendo, cruzando as águas à noite com essa pressa? — ele pergunta. Contudo, seu tom de voz não é rude, e tento fingir que esta é uma situação normal.

— Tenho uma tia idosa que está doente. Ela me chamou.

— Bem, a senhorita é uma sobrinha generosa para ir encontrá-la a esta hora da noite. Espero que não seja nada grave.

— Eu também — respondo.

Uma ilha assoma à nossa frente. O barco balança na corrente agitada e nos aproximamos dela muito lentamente. Do meio da ilha, o domo do monastério e sua torre de sinos se elevam diante de um céu púrpura e preto.

Chegamos perto da margem. Não há nenhuma entrada nas laterais da baixa e comprida parede do edifício e a água bate em suas fundações. De início, não consigo ver nenhum acesso para o interior, mas, à medida que chegamos mais perto, percebo que há portões baixos instalados, abaixo do nível da água. Pequenas tochas, com iluminação fraca, bruxuleiam hesitantes em cada um dos lados. O gondoleiro passa pelo portão, e entramos.

O ponto de desembarque fica ao lado de um pátio acastelado. Pilares e arcos formam uma passagem coberta. À exceção do ruído contínuo da água batendo contra as pedras, o silêncio é total.

O gondoleiro olha atentamente ao redor e me pergunta:

— A senhorita quer que eu a acompanhe?

— Não, não, obrigado, senhor. Mas eu ficaria grata se pudesse esperar. Tentarei não demorar.

Ele parece hesitar, então eu lhe estendo uma moeda.

— Por favor.

Ele abaixa o remo.

— Leve o tempo que precisar. Tenho certeza de que sua tia se sentirá melhor com sua visita.

Ele me ajuda a desembarcar, e eu piso num grande platô de mármore preto e branco. Ele se estende desde o canal até os muros do monastério feito um tabuleiro de xadrez gigante. A água reflete em sua superfície e o mármore brilha.

Caminho na direção da passagem coberta. Está tudo silencioso, escuro e imóvel. Uma brisa incomum bate em minha capa, algo se agita a meu lado, e me agacho no chão com o capuz cobrindo a cabeça. Era só um pássaro — uma gaivota assustada, talvez —, mas me faz arquejar como um animal.

— Controle-se — sussurro a mim mesma. É o que a abadessa teria dito se tivesse me visto tremendo e curvada desse jeito.

Há uma entrada gigantesca feita de madeira rachada nos muros do monastério. Está salpicada de opacos parafusos de metal, redondos e do tamanho do punho de um homem. Algas marinhas trepam pela base do edifício, frondes verdes e escorregadias emergindo das profundezas.

A porta se abre. É tarde demais para ir embora. Surge um homem com um capuz marrom, o rosto escondido. Em silêncio, ele me chama, acenando com um dedo curvado.

— Meu nome é Laura — digo a ele, que consente com a cabeça, como se já tivesse essa informação.

Sigo-o por um corredor estreito com uma fileira de candeeiros com larga distância entre si. Entre eles, nos pontos mais escuros, mal consigo enxergar meus pés. A sombra do capuz de meu companheiro aumenta e diminui à medida que nos aproximamos das tochas. Viramos diversas esquinas: à direita, novamente à direita e então à esquerda. Subimos uma escada de pedras em espiral. Meu temor é não conseguir encontrar o caminho de volta.

— Desculpe — peço —, mas aonde estamos indo?

Ele não responde.

No topo da escadaria, chegamos a uma antessala cavernosa. O calor e a luz me causam uma espécie de ardência no rosto. A luz me cega e me deixa tonta. Quando meus olhos se acostumam ao ambiente, vejo ouro nas paredes e afrescos de um azul muito escuro e de um vermelho intenso. A essa altura, o homem já se foi.

Um aglomerado de silhuetas, talvez quinze mulheres, se forma ao lado de uma das quatro chamas que ardem em lareiras mais altas que elas. Cada uma delas tem uma máscara cobrindo-lhe o rosto; mas de algum modo pressinto que todas são mulheres. Sinto a pele se retesar e, apesar do calor da sala, tremo. Que lugar é este?

As silhuetas deslizam para a frente, formando um círculo ao meu redor. Suas máscaras projetam sombras cintilantes e grotescas. Algumas têm bicos longos e curvados, como pássaros predadores. Outras, delicadas asas de borboleta. Joias, rendas e penas circundam seus olhos, que me penetram feito flechas de caçador. O ar está carregado de um aroma inebriante de temperos e lenha queimada. Mas há algo mais — algo mais poderoso e pungente do que isso tudo.

Meu coração tem um sobressalto. *Isto é uma armadilha*, penso.

Uma das figuras se aproxima de mim, e me afasto, meus olhos movendo-se ao redor, em busca de uma saída. A mulher ri por trás da máscara de penas. O grupo inteiro chega mais perto de mim, fechando o círculo.

— O que vocês querem de mim? — digo. — Quem são vocês?

Uma mulher alta dá um passo adiante. Sob o capuz, seus cabelos têm manchas cinzentas. Sua máscara tem o formato da face de uma coruja branca, coberta de joias brancas e com um bico prateado. Ela retira a máscara e os olhos de Allegreza brilham à luz das chamas.

— Bem-vinda à *Segreta*, Laura — ela diz.

Capítulo 14

A *Segreta*. As Mulheres Secretas. O sibilar e o som cortante da palavra me causam um arrepio no corpo.

— A senhora disse que poderia me ajudar — digo, apertando os punhos e as unhas contra as palmas das mãos, tentando parar de tremer.

— E podemos — diz Allegreza. — Mas existem regras. — As mulheres confirmam com a cabeça. — E há um preço.

Há sempre um preço, penso, lembrando-me das palavras de meu pai no dia em que me deixou no convento.

— Você contou a alguém sobre sua visita aqui? — pergunta Allegreza.

Digo que não, sacudindo a cabeça.

— Essa é a primeira regra. — Sua voz é um sussurro petrificado. — Nossa organização deve permanecer nas sombras. — Ouço um murmúrio de aprovação. — A segunda regra é igualmente importante: se você quer nossa ajuda, terá que nos dar algo.

Passo as mãos por entre as dobras de meu vestido e tiro minha pequena bolsa de veludo.

— Não estou certa de que isto será suficiente.

Allegreza sorri e a dispensa com um aceno da mão longa e pálida.

— Seríamos, certamente, uma organização mundana se estivéssemos apenas interessadas em seu dinheiro. — As mulheres dão risinhos, fazendo as máscaras balançarem. — Não. Estamos em busca de algo mais precioso e mais poderoso do que moedas ou joias.

— O que a senhora quer dizer com isso? — pergunto.

— Ora — ela diz, alongando a sílaba da palavra —, estamos em busca de um segredo.

As mulheres se aproximam ainda mais de mim, como uma alcateia faminta. Não há qualquer espaço entre seus corpos encapuzados. Seus olhos cintilam sob as máscaras, e me pergunto o que elas farão se eu não puder entregar o que querem.

Um segredo? Há anos que não faço outra coisa além de costurar, orar e cantar. Vasculho minha mente à procura de algo de que ninguém mais saiba. Estará relacionado a meu pai e a suas preocupações financeiras? Nenhum interesse nisso: basta olhar para nosso palácio desbotado para saber de toda a história. A predileção da abadessa por vinho? Desconfio que esse boato não seja nada além de uma travessura de Annalena. Os remédios à base de ervas preparados pelo convento, que curam as pessoas de toda sorte de males horríveis? Ora, em toda a Itália as mulheres têm suas próprias poções. Não tenho segredo algum a revelar, nenhum segredo propriamente dito. Nada que possa persuadir a Segreta a me livrar de Vincenzo.

Não consigo fitá-las nos olhos. Abaixo o olhar na direção das pedras sob meus pés.

— Não tenho segredo nenhum.

De repente, risos preenchem a sala, ecoando por entre os arcos de pedra. Olho fixamente para as mulheres, espantada. O que eu disse de tão engraçado?

Sinto as bochechas corando. Não estou mais amedrontada, mas com raiva de estarem zombando de mim. Foi ridículo ter vindo até aqui. Preciso ir embora, apesar de não ter certeza de que conseguirei encontrar sozinha o caminho de volta até a gôndola.

Uma última risada desaparece aos poucos, e Allegreza inclina a cabeça.

— Todos têm um segredo — diz ela. — Não poderemos ajudá-la se você não nos contar qual é o seu.

— Vamos lá, Laura — diz uma mulher de cabelos dourados com máscara de raposa. — Há uma porção de garotas que poderíamos ajudar em vez de você. Não desperdice nosso tempo.

Sou uma mendiga, sem nada a oferecer. Allegreza certamente deve ter percebido isso quando nos encontramos pela primeira vez. Apenas uma garota, sem segredo algum. E, agora, sem qualquer esperança. O hálito azedo de Vincenzo forma uma nuvem acima de mim. Isso porque agora tenho a certeza de que terei de me casar com ele.

— Preciso ir embora — digo.

A boca de Allegreza delineia uma expressão severa e rígida e o grande salão é tomado por um silêncio vibrante, até que ela volta a falar:

— Muito bem.

O círculo de mulheres se abre e passo por elas. Posso pressentir seus olhos nas minhas costas enquanto caminho rumo à escada em espiral. Fracassei. Minha mente já dá um salto adiante no tempo, antecipando a difícil tarefa de voltar à minha cama sem ser vista. Desço as escadas, equilibrando-me com uma mão junto à parede fria. Deparo com uma entrada e sigo por ela até desembocar numa sala sem luz. Não foi por aqui que vim. Retorno à escadaria e continuo a descer. Porém, a sala seguinte não me parece mais familiar do que a anterior. Lugar miserável! Será que terei de suportar a infâmia de ser forçada a voltar à Segreta e pedir instruções para sair daqui?

Encosto o ombro na escadaria. Lágrimas de frustração me vêm ao rosto, e cerro o punho, batendo na parede. Um som metálico vibra no chão e percebo que meu movimento repentino fez minha bolsa cair do vestido. As moedas rolam escada abaixo. Maria, mãe de Deus! Digo a mim mesma para respirar fundo.

Meio engatinhando, meio inclinada, tento recolher o maior número de moedas que consigo. Pego a bolsa, iluminada por uma fresta de luar, e enfio nela as moedas. A última, em minha palma, é maior do que as demais — um ducado de ouro. Gravado nela está São Marcos, que empunha um estandarte balançando ao vento e o estende para o homem à sua frente: o duque.

Neste instante, lembro-me de que tenho, sim, um segredo. Um segredo muito mais valioso do que as moedas de minha bolsa ou mesmo a fortuna de Vincenzo.

Sou um homem fraco. Fraco e dócil. Ninguém em Veneza pode ficar sabendo do meu sofrimento.

Uma voz de incerteza me sussurra: devo manter a promessa que lhe fiz. Porém, o sussurro é abafado pelos berros que vêm de meu coração. Não tenho escolha.

Levanto a saia e corro de volta pela escadaria sinuosa. Vejo o brilho lançado pelos enormes candeeiros e entro correndo no salão. Sinto-me armada — como se estivesse empunhando uma espada.

As mulheres estão em pé ou sentadas em pequenos grupos, mas, ao som de meus passos, viram-se em minha direção como se fossem uma só.

— O que você está fazendo? — pergunta, irada, a mulher que veste a máscara de raposa. — Você fez o seu...

— Eu tenho um! — eu a interrompo. — Tenho um segredo.

Capítulo 15

— Não continue nos testando, minha criança — diz Allegreza.

— Não estou testando vocês — insisto, balançando a cabeça. Estou ofegante por correr até aqui, mas tenho certeza do que estou prestes a dizer. — Meu segredo está relacionado ao duque.

Allegreza fica tensa.

— Você sabia que a esposa dele, a duquesa, é minha prima? Cuidado com o que diz. Este não é um lugar para fofocas caluniosas.

Revelo a elas meu segredo. Sobre a doença que o acometia, o modo como ele se debatia, possuído por demônios. Minhas palavras tropeçam umas nas outras, e não poupo nenhum detalhe sobre seu sofrimento, nem mesmo sobre meu papel nessa história.

Há um suspiro generalizado na Segreta. Uma delas junta as palmas das mãos à frente do peito. Murmúrios, sussurros e pequenos gemidos ecoam pelo ar.

Allegreza ergue as mãos:

— Silêncio!

O silêncio se instaura novamente.

— Minha querida — diz ela. Há ternura em seu rosto, embora seu olhar projete sobre todas nós um brilho ardente e ameaçador. Ela se aproxima. — Isso é verdade?

— Sim, sim. Eu juro. — E acrescento: — Ele não quer que ninguém saiba.

A sala fica em silêncio por um instante.

— Então, por que você nos contou? — pergunta Allegreza, sorridente.

Isso é uma espécie de truque? Um teste? Ela sabe o porquê.

— Eu achei que vocês poderiam me ajudar — digo.

— Então, você coloca o seu próprio bem-estar acima do juramento que fez ao duque?

— Eu...

— Continue.

Não sei bem se estou sendo provocada ou criticada. Olho ao redor, mas qualquer pista que essas mulheres poderiam me dar está escondida sob as máscaras.

Sussurro:

— Sim. — Que mais posso fazer?

Allegreza me olha fixamente nos olhos. Mantenho o maxilar imóvel, determinada a não baixar o olhar. Por fim, ela consente com a cabeça.

— Muito bem, então. Precisamos avaliar a importância de sua contribuição. Espere aqui.

Ela conduz as mulheres para fora da sala, por entre dois arcos, rumo a uma sala lateral. Elas saem em procissão, como freiras prestes a fazer suas preces sagradas. Entrevejo uma grande mesa de madeira e três candelabros acesos. Elas fecham a porta, e sou deixada sozinha.

O que foi que eu fiz? Casar-me com Vincenzo ainda me parece uma perspectiva repugnante, mas estar aqui faz com que eu me sinta presa numa rede ainda mais terrível.

Pergunto-me que horas serão. Caminho até uma das janelas estreitas para ver se já está clareando ou se o céu já mostra faixas de cor-de-rosa e laranja. Beatrice disse certa vez, numa carta, que às vezes papai vaga pelo palácio à noite, andando para cima e para baixo, resmungando sozinho. Será que, do outro lado da laguna, ele está agora se esgueirando para dentro de meu quarto e já se deu conta de que não estou mais lá?

A porta se abre e as mulheres adentram a sala. Allegreza fica em pé diante de mim, usando sua máscara de coruja branca.

— Laura, os homens sempre dominaram as mulheres — seja em casa, onde o marido dita as ordens à esposa, ou nas complexas intrigas do Grande Conselho. Os homens alegam que governam por meio da graça divina, mas as bases de seu poder são a hipocrisia, o vício e a corrupção. A Segreta funciona como um antídoto contra esse veneno. Por meio de nossas reuniões, determinamos o destino de Veneza. Os homens podem transformar-se em príncipes, sacerdotes, até mesmo no duque, mas as cordas que os controlam estão em nossas mãos.

Sou invadida por uma onda de empolgação. Talvez eu tenha encontrado a chave da porta de minha liberdade.

— Se os inimigos dele souberem do segredo que você acaba de nos revelar — continua Allegreza —, o duque correrá um grave risco. A notícia sobre a doença dele se espalhará como uma praga. Seus adversários podem usá-la para desafiá-lo, para destituí-lo do poder. — Ela abaixa o tom de voz. — Você percebe, Laura? Um segredo pode cortar mais profundamente do que qualquer lâmina.

— Mas eu não quero que o duque seja ferido por ninguém — digo. — Ele aparenta ser um homem generoso.

Uma mulher vestindo uma máscara de uma serpente escamosa ri.

— Os homens aparentam ser muitas coisas.

— Em retribuição ao que você acaba de nos dar — interrompe Allegreza —, vamos impedir seu casamento com Vincenzo.

Junto minhas mãos e as levo ao peito. Sinto um alívio profundo.

— Obrigada — suspiro.

Allegreza me estende a mão e eu seguro nela. Ela coloca a outra mão por entre as dobras do vestido e tira algo comprido e fino. Por um instante, acho que está segurando um leque fechado. Tenho um calafrio e sinto o corpo todo enrijecer.

Uma faca.

— Não! — murmuro.

Agora, tudo fica claro. Elas já sabem de meu segredo e não tenho mais qualquer utilidade. Tento soltar minha mão, mas Allegreza me segura com firmeza.

— Não tenha medo — diz ela —, só doerá um pouquinho.

Ela posiciona a ponta da faca no centro de minha palma. Sinto uma dor aguda no início, mas nada além disso. Uma gota de sangue se forma e escorre de minha mão.

— Bem-vinda à Segreta — diz Allegreza.

O ferimento não passa de uma marca sem consequências, mas Allegreza coloca novamente as mãos sob o vestido, pegando desta vez um lenço rendado, no qual envolve minha mão delicadamente. A mulher de máscara de raposa dá um passo à frente, trazendo nas mãos um reluzente conjunto de pérolas e penas cor de creme: a máscara de um cisne. Ao redor dos olhos há contas brilhantes de azeviche e um elegante bico ocre forma um contorno delicado até juntar-se à testa pálida.

Allegreza pega a máscara. Levanto o queixo, e ela a abaixa lentamente diante de meu rosto. Coloca uma mão em meu ombro, virando-me, e então amarra os laços de cetim para prendê-la no lugar. A máscara exala o aroma do perfume de outra mulher, e fico então sabendo que não sou a primeira a usá-la.

— A reunião está terminada — diz Allegreza.

Ela me conduz de volta à saída, seguindo um caminho diferente e mais curto do que aquele por onde entrei. Uma névoa azulada emerge da água e vejo as primeiras faixas da aurora tingindo os domos e as torres da cidade. Com cuidado, ela ajeita a capa sobre minhas costas, mas seus olhos brilham intensos sob a máscara.

— Manteremos nossa promessa — diz ela —, mas lembre-se da sua. Você é uma de nós agora. Diga uma única palavra a alguém a respeito da Segreta e pagará com sua própria vida.

— Não direi a ninguém!

Ela aperta minhas mãos antes de misturar-se novamente às sombras.

Fico em pé, sozinha, sobre o gigantesco tabuleiro de xadrez, a respiração quente sob a máscara.

Você é uma de nós agora. Mas quem são as mulheres que integram a Segreta? Além de Allegreza, não faço ideia de quem são as outras. Sinto a cólera crescendo dentro de mim enquanto imagino as intrigas e os crimes que elas devem estar tramando neste exato instante, neste monastério oculto. Agi como uma tola. Debilitei o homem mais poderoso de Veneza, e a troco de quê? Elas se apossaram de meu segredo, avaliaram sua importância e, tal qual um mercador sem escrúpulos, adiaram o pagamento. Desta visita, nada me restou além de uma promessa vazia.

Desfaço o nó dos laços por trás da cabeça, retiro a máscara e a jogo no chão. Inspiro o ar gelado. Do piso quadriculado, a máscara me olha, brilhando como um espectro. Não: não posso deixar que a Segreta a descubra. Pego-a de volta, colocando-a sob o manto.

Na beira do canal, o gondoleiro me aguarda.

— Sua tia não melhorou? — ele pergunta, examinando meu semblante enquanto me ajuda a embarcar.

Não respondo. Coloco a capa sobre os ombros e deslizamos de volta pela laguna brilhante.

Capítulo 16

O DIA ESTÁ QUASE AMANHECENDO quando chego em casa. Subo as escadas na ponta dos pés, segurando a saia ao redor das coxas para evitar seu ruído ao roçar o piso. O quarto de meu pai ainda está fechado e o palácio, silencioso. Em meu quarto, retiro o lenço da mão e percebo que já se formou uma casquinha. Rapidamente, retiro a máscara e a coloco dentro de uma gaveta da cômoda. Apanho uma pilha de xales de seda que eram de Beatrice e os acomodo por cima dela. Esfrego os olhos, exausta.

Atiro longe minha capa e os sapatos e tiro o vestido, decidida a me enfiar sob as cobertas e não pensar sobre a Segreta até de manhã. Estou prestes a deitar na cama quando percebo, espantada, que alguém está dormindo nela.

É Faustina. Coloco a mão em seu ombro e sacudo-a de leve. Ela se senta e, por um instante, me olha como se eu fosse uma estranha. Então, seu rosto se enruga, em sinal de alívio.

— Graças a Deus! — diz ela, abraçando-me forte e me beijando na testa. — Onde você esteve? Oh, estou muito zangada com você.

— Estou bem — digo.

— Onde é que você se meteu, querida? Fiquei desesperada pensando no que poderia ter acontecido a você. Por pouco não despertei o seu pai.

— Ainda bem que você não fez isso. Por favor, não diga a ele.

Ela me olha com uma expressão cansada.

— Você precisa dormir. Já é muito tarde. Laura, você não pode simplesmente sumir de casa. Eu fiquei totalmente descontrolada. Se você soubesse as promessas absurdas que fiz para que você voltasse bem para casa...

— Suas preces foram atendidas — digo, apertando-lhe as mãos. — Estou perfeitamente bem.

Faustina alisa os lençóis amassados e eu me deito. Quando eu era bem menina, ela fingia passar mel encantado em meus cílios instantes antes de eu adormecer. Sinto os olhos pesados, como costumava acontecer. Desejo dormir e descobrir que o monastério, Allegreza e a Segreta, tudo isso não passou de um sonho e que não há máscara alguma à espreita na gaveta.

Porém, um repentino tremor de Faustina me deixa tensa. Ela cobre o rosto com as mãos cheias de saliências e dá um soluço profundo. Chego mais perto, trazendo-a para se sentar a meu lado, e coloco meus braços ao redor de seus ombros largos.

— Me perdoe — ela diz entre soluços. — Não encontrar você me fez pensar em sua pobre e querida irmã.

— Eu é que devo pedir desculpas, não tive a intenção de assustá-la.

Ela balança a cabeça.

— É minha culpa — diz. — É tudo minha culpa. Beatrice estaria aqui agora se eu tivesse ficado ao lado dela.

— Não é sua culpa — digo, beijando seu rosto úmido. — Você não deve se culpar por isso.

— Você não entende — diz ela. — Não é capaz de entender. — Ela sai da cama, se ajoelha e junta as mãos diante de si, os olhos voltados ao céu. — Deus, tenha piedade de mim!

A súplica parece deixá-la dilacerada. Nunca vi Faustina assim antes. Há algo de sombrio e descontrolado dentro dela que me assusta.

— Faustina, por favor... Beatrice se afogou. Deus não julgará você por ela ter morrido. Foi um acidente!

— Não — ela murmura. — Não foi.

Uma brisa gelada parece penetrar no quarto e me envolver. Sento encurvada na cama, tremendo.

— O que você disse?

Faustina se vira em minha direção. Seu velho e delicado rosto está contorcido e angustiado, como se ela também estivesse usando uma máscara.

— Beatrice foi a algum lugar naquela noite — diz ela. — E fui eu que permiti que ela fosse.

— Foi aonde? — Sinto como se o sangue tivesse parado de circular dentro de mim.

— Não sei. Ela me implorou. Ela não parava de dizer: "Tem uma coisa que preciso fazer. Por favor, você precisa confiar em mim...". E eu... eu via esperança no rosto dela. Uma esperança que não via desde que ela ficou noiva. Então, eu a deixei ir. Deus me perdoe, eu a deixei ir.

Sua voz é frágil e ela balança o corpo para a frente e para trás. Afasto os lençóis e me sento no chão ao lado dela. Seguro sua mão.

— Faustina... Você acha que ela tinha um amante secreto?

— O que mais poderia ter sido?

Realmente, o que mais? Um sorriso ganha contornos no canto de minha boca. Apesar de tudo, fico contente que o velho Vincenzo não seja o único homem que Beatrice conheceu. Imagino-a, olhos brilhando, correndo em meio às sombras para dar um abraço furtivo e compartilhar seus anseios com algum rapaz bonito que fazia seu coração palpitar, que lhe aquecia a pele com seus beijos.

— Esperei por ela na Ponte de Rialto, como havia prometido — diz Faustina. — Ela disse que não demoraria, e comecei a me preocupar. Foi então que ouvi aquele grito horrível e o barulho terrível de alguma coisa caindo na água. — Ela torce o lençol sobre o colchão, e eu afasto fios de cabelo de seu rosto. — Aconteceu a poucos metros da margem do canal. Corri como se minhas pernas fossem as de uma criança, amaldiçoando meus velhos joelhos e quadris. Quando cheguei perto, ela ainda se debatia. Ainda consigo ver as bolhas e a espuma ao redor de Beatrice em meus sonhos. Seu vestido, que eu mesma colocara nela, tornara-se enorme e volumoso na água. Atirei meu xale em sua direção. Eu estava à beira do canal, pronta para pular na água e salvá-la quando... quando... — Faustina fecha os olhos enrugados. Coloco a mão em seu ombro.

— O que aconteceu? — pergunto delicadamente.

Seus olhos reabrem e sua expressão é de ansiedade.

— Alguém me impediu. Uma mão segurou meu pescoço. Outra mão segurou meu pulso e torceu meu braço para trás de minhas costas. Era um homem, arrastando-me para longe do canal. Dei gritos e pontapés, mas ele me encostou uma faca na garganta.

— Quem era? — Minha voz sai rouca.

— Não sei — ela diz, tremendo. — Oh, eu tive tanto medo. Ele se inclinou perto de meu ouvido e sussurrou: "Deixe-a ir, minha velha, ou você fará companhia a ela." Pude ver, então, sob a sombra de seu enorme chapéu preto, que sua boca estava cheia de ouro. Pequeninas facas douradas no lugar dos dentes.

Ela irrompe novamente em soluços, e trago sua cabeça para junto de meu peito. A imagem que ela acaba de descrever parece mais a de um monstro do que a de um homem.

— Ele me empurrou para o chão, e fechei os olhos. Fui covarde ao ficar tremendo ali feito um bebê. Quando me dei conta de que ele tinha ido embora, era tarde demais. Um gondoleiro ouviu meus gritos e retirou Beatrice da água.

Minha irmã foi assassinada.

Esse homem de dentes dourados tirou Beatrice de mim. Não posso suportar. Sinto os olhos secos de lágrimas, embora queimem de raiva. Quem pode ter feito tal coisa? E por quê?

Capítulo 17

A MANHÃ DO DIA DE MEU casamento é exatamente como deveria ser: fria e hostil. Meu coração está duro como um túmulo gelado. Não deverei mais dormir sozinha: hoje à noite, o corpo murcho de Vincenzo, tremendo de desejo sexual, estará a meu lado. Fui uma *tola*. Como pude ser ingênua a ponto de acreditar que aquelas mulheres poderiam me ajudar? Haveria alguma possibilidade de eu ir à tenda de um joalheiro no bairro dos artesãos e lhe fazer o pagamento mediante a promessa de entrega do produto no dia seguinte? Claro que não! No entanto, foi exatamente o que fiz. Traí a confiança de um homem bom a troco de nada.

— Você não pode ficar deitada aqui o dia inteiro — diz Faustina, entrando no quarto pela terceira ou quarta vez esta manhã. Ela recolhe o que sobrou dos objetos de minha mãe, que há muito nos deixou, e monta meu enxoval. Vai enchendo o enorme baú de madeira escura e dourada, aberto como a boca de um monstro. Nele, coloca lençóis dobrados, vestidos decorados, frágeis véus cintilantes e pesadas roupas de cama. Tudo de que preciso para as núpcias. Os movimentos de Faustina são pesados e hesitantes, como se estivesse me preparando não para um casamento, mas para uma execução.

A velha mulher deixa o quarto novamente. Ela parece ter se recomposto da comoção por que passou na noite anterior, e seu desinteresse me irrita. Se o que ela disse é verdade — e não tenho nenhum motivo para duvidar disso —, um assassino anda à solta pelas ruas depois de tirar a vida de minha querida irmã. Sinto vontade de interrogar cada homem, mulher e criança veneziana, um por um, até apanhá-lo.

Eu me sento ao ouvir os passos pesados de meu pai do lado de fora. Ele abre a porta com um estrondo.

— Jesus Cristo Todo-Poderoso! — ele berra. Seus cabelos estão desgrenhados e seu gibão, aberto.

— O que foi? — pergunto.

Ele passa por mim pisando com vigor e abre o baú que contém meu enxoval, preparado cuidadosamente por Faustina. Retira as roupas de cama e os vestidos, jogando tudo longe, as roupas dobradas despencando como flores arrancadas das árvores.

— Pai! — digo, ofegante. — O que está fazendo?

Bianca se esconde do lado de fora da porta. Para meu espanto, a jovem criada parece estar reprimindo uma crise de risos. Faustina traz Bianca para junto de si e tenta me dizer algo articulando os lábios.

Meu pai ergue o baú vazio e o atira no chão. A madeira se estilhaça toda. Encostada no vestido de Faustina, Bianca deixa escapar um suspiro.

— Traidor! — ele esbraveja. — Ele é um espião! Um desgraçado de um *espião*!

Uma centelha de esperança se acende em meu coração.

— De quem você está falando, pai?

— Dando uma de espião para o próprio duque de Milão! — Ele passa por mim, seguindo para o outro lado do quarto, e dá um murro na parede. — Depois de tudo o que fiz para salvar a reputação dos Della Scala.

— Vincenzo? — pergunto.

Pela primeira vez, seus olhos se iluminam ao olhar para mim, e ele desaba na cama.

— Minhas chances de ser admitido no Grande Conselho viraram poeira — diz ele, dando um tapa no joelho. — Poeira!

Faço uma expressão grave e solene, como se colocasse um véu no rosto.

— Vincenzo é um espião?

— Que ele apodreça no inferno! — meu pai vocifera. Ele lança um olhar para Faustina e Bianca, paradas em pé junto à porta. — Saiam, vocês duas!

Os olhos de Faustina cintilam enquanto ela arrasta Bianca para fora.

Meu pai suspira e enterra o rosto nas mãos. A centelha dentro de meu peito se transforma em chamas.

Ele relata que cartas vieram à tona e testemunhas foram convocadas. Elas atestam que Vincenzo tem atuado como agente do duque de Milão há pelo menos dois anos, passando-lhe informações sobre as reuniões do Grande Conselho. Ao que tudo indica, as provas são incontestáveis. Hoje cedo, Vincenzo tentou fugir da cidade levando seus baús de dinheiro, mas foi capturado. Sua fortuna, ou tudo aquilo em que as autoridades forem capazes de colocar as mãos, será confiscada; ele certamente será exilado.

Somente no meio da explicação sinuosa de meu pai é que sou capaz de enxergar com clareza quem é responsável por minha sorte. Passo a ponta dos dedos sobre a casca áspera de minha ferida. Isso não pode ser sorte, de modo algum. Foi o trabalho da Segreta. Allegreza cumpriu a promessa.

— Preciso me encontrar com os membros do Conselho — meu pai murmura, alisando os cabelos. — Preciso me distanciar desse patife do Vincenzo.

Ele sai do quarto, e fico impressionada que nem uma única vez tenha mostrado qualquer pesar em relação ao colapso de meu casamento. Sorrio, sentindo-me mais leve. Talvez ele sempre soubesse o quanto eu abominava a perspectiva dessa união.

Quando ele se afasta, Faustina e Bianca ressurgem à porta.

— Oh, minha querida, você foi salva! — diz Faustina, com o rosto radiante de felicidade. Pulo da cama para abraçá-la. Bianca dá um abraço em nós duas juntas.

— Salva, mas só por enquanto — digo. — Certamente, quando tudo isso terminar, papai sairá em busca de alguém para se casar comigo.

— Sim, mas por enquanto você está segura — diz Faustina.

— Você me disse que o casamento era uma mudança para melhor — lembro-a, erguendo as sobrancelhas.

Minha ama começa a recolher os pedaços do baú quebrado e seu conteúdo. Ela olha para cima e há um esboço de sorriso em seus lábios.

— Eu disse isso? — responde, toda inocente — Bem, me perdoe. Seja como for, quem poderá dizer quais pretendentes estarão competindo pela sua mão?

Estou estirada sobre uma pilha de almofadas no salão do piso inferior, folheando as páginas de um livro de minha mãe, de poemas de amor romanos. Faustina está sentada numa cadeira de couro, do outro lado do aposento, cochilando, o bordado pendendo-lhe das mãos. Um alarido de gritos e berros rompe o silêncio da tarde e percebo que multidões tomaram a rua que leva ao porto. Fecho o livro, ajeito minha saia e sigo até a janela. Empurro-a e olho para fora.

— O que foi? — pergunta Faustina, sonolenta.

— Já vou descobrir. — Saio correndo da sala, na direção da porta dos fundos.

— Não faça isso, querida. Pode ser perigoso.

— Não vou passar além dos portões do fundo.

Faustina me segue. Com um suspiro frustrado, ela coloca o xale nos ombros e diz que também está vindo.

Corremos até o portão, passando pelo banco de Beatrice, pelo muro de pedra e pelos sussurros dos ciprestes. O ruído ganha intensidade. Guardas gritam e empurram os espectadores, suas espadas reluzindo. As pessoas cospem e berram.

— Afastem-se! — grita um dos guardas. — Abram caminho!

Ruidosa, uma carruagem desce a rua. Um homem irrompe do meio da multidão e dá um tapa na porta, gritando: “Traidor!”. Outros lançam ofensas e insultos, com rostos vermelhos de raiva e de excitação. Eu me penduro sobre as barras de ferro do portão para poder enxergar por cima da multidão furiosa. Quando a carruagem passa, vejo de relance o passageiro no interior.

É Vincenzo. Mesmo olhando para ele apenas de relance, vejo que está pálido. Ele me olha fixamente por um instante, o olhar tomado por um desânimo mortal.

Minha postura é altiva ao olhar para ele. Sinto uma onda de poder tomando conta de mim à medida que ele se afasta, com os olhos imersos num sentimento de vergonha. Faustina está em pé sobre o banco e, enquanto observamos a carruagem se afastando, percebo a verdade nas palavras de Allegreza. De fato, em Veneza, um segredo é mais poderoso que uma espada.

Capítulo 18

Pela primeira vez desde que voltei para a casa de meu pai, durmo muito bem à noite. Um sono profundo, pesado e sem sonhos. Quando abro os olhos, o sol já ilumina minha cama inteira. Estou livre de Vincenzo. E sei o que devo fazer agora. Descobrirei o que aconteceu à minha irmã. Descobrirei a verdade.

A Segreta é poderosa, conforme Allegreza me garantiu. A sensação é de que minhas veias incharam. É quase audível o fluxo de sangue quente correndo nelas. Sinto-me alerta e de olhos bem abertos. Ao sentir o ar, sou capaz de detectar pistas e dicas que antes não era capaz de sentir.

Faustina entra em meu quarto, agitada.

— Querida, não há tempo para tirar uma soneca! O conde Raffaello logo estará aqui. — Ela vasculha a gaveta de minha cômoda e retira dela um vestido pálido, cor de laranja e creme.

Conde Raffaello, eu me lembro dele. *O marido de Carina.*

— Carina também virá? — pergunto, saindo da cama.

— Sim — responde Faustina, acenando com a cabeça. — Será ótimo recebê-la no palácio novamente. Ela era uma amiga tão próxima de Beatrice...

Enxáguo o rosto e o pescoço na vasilha de água próxima à janela. A água tem um aroma de rosas, e pétalas vermelhas flutuam na superfície. Enxugo-me com uma toalha de linho e Faustina me ajuda com o vestido. Ela amarra os fios de seda que pendem das mangas e prende meu cabelo num coque, fixando-o com uma presilha de pérolas.

Ela me traz o espelho novamente, no qual estou me acostumando a ver uma pessoa diferente. Prendo um cacho de cabelo solto por trás da orelha.

A porta da frente se abre na antessala do andar de baixo, e ouço a voz de Bianca:

— Meus cumprimentos, senhor.

— Eles chegaram — diz Faustina.

Saio correndo do quarto e sigo pelo corredor. As janelas do palácio estão escancaradas e os aposentos estão inundados de luz. O ar empoeirado que costumava envolver e cobrir o ambiente desapareceu. É como se o próprio palácio estivesse celebrando minha liberdade. Um dos poucos quadros que meu pai não vendeu está pendurado na parede, no topo da escadaria: uma ancestral qualquer com uma pinta de nascença na bochecha. Ela parece sorrir para mim quando passo e, por mais idiota que possa parecer, sorrio de volta.

Desacelero o passo ao descer as escadas. Meu pai saiu da biblioteca e faz uma mesura, cumprimentando Raffaello e Carina. Bianca permanece por perto. O rosto de Carina se derrete num sorriso assim que ela me vê e fica corado, combinando com o cetim cor-de-rosa pálido de seu vestido. Nas mãos com luvas, carrega uma cesta. Raffaello se veste de modo elegante, com botas marrons, camisa branca e casaco de veludo preto. Sinto uma ponta de ternura por meu pai, vestido com seu casaco de pano surrado.

— Laura, bom dia a você! — diz Raffaello com uma mesura. — Nós dois lamentamos muito aquele episódio envolvendo Vincenzo.

Faço uma reverência.

— As novidades se espalham rápido — respondo.

— Chega desse assunto! — diz meu pai. — Isso é coisa do passado. Senhoras, poderiam nos dar licença? — Ele abre a porta da biblioteca, acenando para que Raffaello entre.

Carina suspira de modo teatral.

— Os homens são tão fofoqueiros! Venha, Laura, vamos nos sentar no pátio.

Raffaello dá um beijo no rosto da esposa e acompanha meu pai. Carina coloca seu braço em volta do meu e saímos. O ar está carregado com um doce aroma de tojo amarelo e flores de maçã. Acompanho-a até o banco, protegendo, com as mãos, os olhos do brilho do sol.

— Coitado do velho Vincenzo — diz ela, quando sentamos, nossos joelhos esbarrando-se, num aconchego fraternal. — Ele não poderá mais desfilar pelo Lido, sendo saudado pelo povo.

— Para onde você acha que ele irá? — pergunto.

— Para Milão, se os boatos forem verdadeiros — diz Carina. — Ele é proprietário de uma frota considerável de navios, a maioria deles em alto-mar no momento. Ele tem mesmo sorte: o duque já confiscou dois navios seus e teria confiscado todos, se estivessem em Veneza.

— Sinto pena dele — digo, lembrando-me de seu rosto sombrio dentro da carruagem.

Carina ri, com os olhos brilhando de espanto.

— Sério? Bem, você é muito mais generosa do que eu. Acho que eu daria uma festa em comemoração. — Ela aperta meu braço. — Você não está *tremendamente* aliviada?

A sinceridade dela é contagiante, e deixo minha máscara cair.

— Carina, eu me sinto como o prisioneiro no cadafalso, com a corda no pescoço, no momento em que lhe anunciam que sua vida será poupada.

Ela sorri.

— Bem, tomara que agora você não se sinta tentada a passar mais tempo na companhia dos pintores de Veneza!

A lembrança dos olhos fundos do pintor me faz corar.

— Claro que não! Mas agora eu sei como foram os últimos dias de Beatrice. Ela deve ter ficado apavorada com a perspectiva de ter aquele homem como marido e mestre.

Carina me pega pela mão e sorri com tristeza.

— Pelo menos você está livre e Beatrice descansa em paz.

Rezo para que isso seja verdade. A descrição do vestido inchado de Beatrice, feita por Faustina, ficará gravada para sempre em minha memória. Por um instante, sinto vontade de revelar tudo a Carina: a terrível história de Faustina sobre a noite em que Beatrice morreu e a certeza sombria, dentro de mim, de que ela foi assassinada. Porém, lembro-me do homem de sorriso metálico e decido guardar essas informações comigo.

— Trouxe um presente para você. — Carina sorri. Ela pega a cesta a seu lado no banco e retira dela dois chapéus coloridos, ambos feitos de palha torcida — parecidos com os chapéus de aba larga, mas com um furo no centro. Um é laranja vivo, o outro, púrpura escuro. Coloca na cabeça o chapéu púrpura e, graciosamente, como se estivesse tecendo, faz passar seus longos cabelos sedosos pelo buraco. O chapéu brilha à luz do sol como fios de cobre e ouro sobre a aba.

Ela me passa o chapéu laranja.

— Aqui está. Um dos maiores segredos de Veneza sobre a beleza — ela me confidencia. — Olhe só, a cor combina perfeitamente com seu vestido.

— E para que serve? — pergunto.

— É só um pequeno truque para dar ao cabelo uma tonalidade dourada — ela ri.

Ela me ajuda a colocá-lo sobre a cabeça, e puxo os cabelos do mesmo jeito que ela. Sinto os dedos dela ajeitando e separando meus cachos.

— Pronto. Tudo o que você precisa fazer é sentar-se assim, todos os dias, e deixar que o sol faça o trabalho dele. Um pouquinho de sumo de limão também ajuda a dar um tom mais claro aos cabelos.

— Obrigada — digo. — Você não faz ideia do significado da sua generosidade para mim. Eu adoro Faustina, mas é muito agradável ter alguém da minha idade com quem eu possa conversar. Sobretudo agora que papai está em crise.

— Os homens estão sempre em crise — diz Carina. — Quanto mais alto eles sobem na árvore do poder, mais frágeis os galhos se tornam.

Sou capaz de imaginar Allegreza dizendo essas palavras.

Do interior da casa irrompem gritos carregados de ira, e ambas nos ajeitamos na cadeira. É a voz de meu pai, e logo em seguida a de Raffaello. Não consigo distinguir nenhuma palavra até que meu pai berra: “Muito em breve!”. Olho para Carina e vejo que seu rosto ganha um aspecto sombrio. Ela joga o chapéu dentro da cesta, se levanta e caminha na direção da casa.

— O que está acontecendo? — pergunto, correndo atrás dela com o chapéu na mão.

— Oh, tenho certeza de que não é nada importante — diz Carina, embora sua expressão seja tensa e séria. — Seja como for, é melhor ignorar os conflitos relacionados a assuntos masculinos.

A porta do palácio se abre por inteiro. Raffaello sai correndo feito um touro enfurecido. Desce as escadas pisando firme em nossa direção e pega no braço de Carina.

— Venha, vamos embora.

Carina se desvencilha e pega na mão dele. Enquanto ele praticamente a arrasta pelo caminho, ela me diz sobre os ombros:

— Vejo-a em breve. Muito em breve.

— Adeus! — respondo. Mas ela e Raffaello já atravessaram o portão.

Entro novamente na casa. O ar fresco da antessala parece frio, e a escuridão em torno me dá a sensação de cegueira depois de ter sentido o calor do sol.

Meu pai se senta em sua biblioteca, desanimado e com o corpo caído. Apoia o cotovelo na escrivaninha e penteia com os dedos os cabelos enfraquecidos.

— Pai, você está bem? O que aconteceu?

Ele começa a falar, mas, por um breve momento, não tenho nem mesmo a certeza de que ele sabe que estou aqui.

— Primeiro, Vincenzo. Agora, Raffaello, essa *víbora*... Existe alguma conspiração para me impedir de chegar aos centros do poder? — Ele me olha e me dispensa com um aceno de mão, como se eu fosse um inseto importunando-o. — De qualquer modo, não é da sua conta.

— Mas eu achei que você e Raffaello eram amigos.

Meu pai dá um riso curto, sem contentamento.

— Laura, não há amigos em Veneza. Me deixe sozinho.

Capítulo 19

Meu pai passa a manhã andando pela casa, pisando firme com botas que chiam. Faço as refeições sozinha, enquanto ele come em sua biblioteca. Espio no interior dela para ver se precisa de algo e vejo-o rascunhando uma carta. Há uma pilha de rolos de pergaminho em sua escrivaninha, selados com cera vermelha. Ele pede que eu chame Bianca e lhe entrega as cartas, despachando-a para cima e para baixo pela cidade.

— Não sou mensageira — ela resmunga ao passar por mim, seguindo na direção da rua.

Continuo lendo o livro de poemas de amor de minha mãe no salão quando meu pai se aproxima.

— Muito bem — diz ele. — Eis o que acontecerá a partir de agora. Você conhecerá Paulina.

— Eu já a conheço, pai.

— Bem, você deverá conhecê-la mais a fundo. Se eu estou certo, e eu *realmente* tenho faro para essas coisas, ela está prestes a casar-se com um homem de uma família poderosa. Sabe-se Deus como, já que o tio que cuida dela é um imbecil. Você compreende como é importante, para nós, estimular a criação desses contatos, especialmente neste momento?

— Sim, papai.

— Ótimo. Fiz os preparativos para vocês duas se encontrarem hoje à tarde. Na Piazza della Angela.

Ele dá a isso tudo o ar de um encontro de negócios, mas a ideia de me reencontrar com Paulina e de me afastar do ambiente tenso do palácio me é muito bem-vinda. Tenho muitas coisas a contar a ela.

Fecho o livro e o beijo no rosto.

— Obrigada, papai.

Ele me olha fixamente, parecendo surpreso com meu gesto.

— Bom — diz ele –, não me decepcione.

— Santa Mãe de Deus! Você não consegue fazer com que ela fique parada? — Faustina resmunga ao subir na gôndola que balança. Tanto eu quanto o gondoleiro damos as mãos a ela, ajudando-a a vir até o assento. Ela ajeita o vestido e olha ao redor, olhos brilhantes em seu rosto velho e afetuoso. — Que presente é estar nos canais, hoje!

As águas estão congestionadas com gôndolas e pequenos barcos a vela. Multidões se movem pelas ruas e pontes, conversando como pássaros espalhafatosos. Nosso gondoleiro estende um toldo, protegendo-nos do sol, e então começa a remar, deslizando suavemente canal adentro.

O sol se escancara diante do mundo como um rival ameaçador, mas me sinto refrescada à sombra. Com os dedos na água, deixo a marca de nossa passagem, enquanto o gondoleiro segue rumo à costa sudoeste. Um barqueiro desafia nosso gondoleiro, propondo-lhe uma corrida, e este sorri para nós:

— Esse homem está colocando em dúvida as minhas habilidades. Se eu perder, vocês viajarão de graça.

Antes que Faustina possa fazer alguma objeção, eu concordo e a competição tem início. Com seu remo entrando e saindo da água com movimentos ligeiros e suaves, o gondoleiro atravessa o canal. Numa velocidade que faz espirrar água em nós, ultrapassamos a outra gôndola e até mesmo Faustina ri como uma menininha por detrás do leque.

O gondoleiro para à margem de um canal secundário e nos ajuda a desembarcar. Ao pagá-lo, acrescento uma gorjeta por seu feito.

Dali, caminhamos até a Piazza della Angela. A praça é rodeada de altas construções de tonalidade rosa e decadentes e está repleta de pessoas vendendo frutas e amêndoas açucaradas. Homens e mulheres caminham ao sol, comprando guloseimas e rindo. E, bem no centro da praça, vejo Paulina, girando uma sombrinha. Os cabelos pretos e encaracolados lhe caem pelos ombros. Seu vestido azul tem um corpete apertado, com uma saia que se alarga exibindo um amarelo pálido.

Faustina me beija nas duas faces.

— Divirta-se e tente esquecer estes últimos dias. Lembre-se: você deve voltar para casa antes do jantar. Não me traga preocupações.

— Pode deixar — digo, enquanto Faustina se afasta em meio à multidão.

Paulina sorri e acena quando me vê aproximar-se dela.

— É tão bom vê-la! — diz ela, segurando meu braço. Ela me conduz até uma viela estreita, que parece adormecida. — Oh, Laura, fiquei tão aliviada ao saber das novidades sobre você!

Ela me faz rodopiar, e nossas saias esvoaçantes criam uma espiral de cores. Nossa risada reverbera ao bater nos muros de pedra inclinados.

— Tudo parece tão diferente agora que estou livre dele — digo. Os saltos de nossas sapatilhas de seda batem de leve nos paralelepípedos.

— E agora começa a *verdadeira* busca por um marido — diz ela.

Sinto as bochechas corando.

— Não foi isso que eu quis dizer.

— Mas é isso que certamente acontecerá a partir de agora.

A rua se alarga, e as barracas de venda se aglomeram em ambos os lados. As pessoas aqui são pobres, com roupas esfarrapadas e sujas, mas sua expressão é de felicidade enquanto elas brincam e empurram umas às outras, assam leitões em espetos e grelham bifes. O aroma da comida borbulhante e dos assados é denso. Um jovem que vende frango assado tira seu chapéu para mim e eu sorrio.

— De todo modo — digo a ela —, meu pai disse que você tem boas notícias.

O rosto de Paulina se ilumina.

— Homens! Eles ficam sabendo sobre nossos assuntos antes mesmo da gente?

— Então, é verdade?

Ela assente e cede passagem a um homem carregando uma bandeja de pequenos cálices à altura da cabeça, que passa rápido por nós.

A julgar por seus passos saltitantes e pelo modo como seus olhos brilham, percebo que ela se sente muito mais feliz com seu casamento iminente do que eu me sentia.

— E então? — insisto. — Não vai me dizer quem é ele?

Ela gira a sombrinha enquanto passamos por outra rua, onde uma multidão entusiasmada se aglomera ao redor de artistas de rua.

— Oh, Laura, esta é uma união de amor! É isso que nós todas merecemos. Rezo para que você também encontre uma felicidade como esta. Tenho certeza de que isso acontecerá.

Abrimos caminho entre a multidão e, bem na frente, deparamos com um artista de rua com sinos em suas roupas, contorcendo-se todo. O som produzido pelos sinos é encantador, e nós nos juntamos aos demais, batendo palmas no ritmo. Em meio aos rostos sorridentes, vejo um homem alto com um enorme chapéu preto que projeta uma sombra sobre o rosto. O ângulo de seu olhar não é como o das pessoas ao redor. Parece estar olhando para nós, não para o dançarino.

Cutuco Paulina com o cotovelo e aponto na direção dele.

— Você o conhece? — Mas ele se afasta da multidão e some.

— Onde? — ela pergunta.

— Um homem de chapéu preto — digo. — Ele estava nos observando.

Paulina sorri.

— Você deveria estar acostumada a isso — diz ela. — Quando uma pessoa é bonita como você, os homens normalmente ficam olhando.

A acrobacia chega ao fim, e as pessoas atiram moedas dentro do chapéu de cores berrantes que o artista estende a elas. Quando uma mulher de vestido vermelho à minha frente faz sua doação, tiro uma moeda de minha bolsa de veludo e imito seu gesto.

— Obrigado, senhoras — diz o dançarino.

A jovem de vermelho se vira e nos olha fixamente, medindo Paulina da cabeça aos pés. Ela cutuca o cotovelo da amiga e ambas riem entredentes por detrás de seus leques abertos.

Paulina suspira, zangada, e então pega meu braço, puxando-me para longe.

— Não dê atenção a elas — diz.

— Você conhece aquela garota? — pergunto, quando chegamos à esquina seguinte.

— Meu tio trabalhava para o pai dela — ela responde. — Ela menospreza a minha família. Mas, quando eu me casar, não será assim insolente. Quando isso acontecer, nenhuma mulher poderá me menosprezar. Nem mesmo o poder da Segreta será capaz de me derrubar.

Meu corpo fica tenso. Posso sentir que estou empalidecendo e finjo olhar para uma carruagem que passa, na esperança de que Paulina não perceba.

— A Segreta? — digo o mais calmamente possível e então afasto a mão muito discretamente, colocando-a às costas para esconder a pequena atadura de minha cerimônia de iniciação. É uma bobagem, claro. Ela não teria como saber do que se trata.

— Esse é um dos nomes que elas usam — diz Paulina. — Outros a chamam de Sociedade dos Segredos ou de Mulheres Ocultas. Acho que, em parte, o atrativo da organização se dá por causa dos nomes tolos.

— Atrativo em relação a quê? — pergunto, com cautela.

Ela entrelaça seu braço no meu, puxando-me para perto e abaixando o tom de voz de modo conspirador.

— É um grupo de mulheres venezianas. Minha irmã me falou a respeito delas quando eu era pequena. Ninguém sabe quem é membro da Segreta nem o que exatamente elas fazem. Minha irmã diz que elas eliminam pessoas.

Sinto um filete de suor escorrendo pela espinha.

Paulina ri.

— Não faça essa cara séria! É bem provável que elas só façam fofocas sobre homens, dinheiro e vestidos, como qualquer mulher de Veneza. — Ela saca um leque e começa a se abanar, fazendo sacudir os cachos de cabelos negros. — Está quente demais. Vamos entrar na catedral.

Sinto-me desorientada, mas ela me conduz por algumas ruas e canais e então chegamos à reluzente Praça São Marcos. Na praça, predominam os domos prateados e os intricados pináculos da catedral. Diante dela, assoma a torre dos sinos, uma coluna quadrada de tijolos vermelhos e alaranjados, que projeta uma sombra sobre o palácio do duque. A maresia sopra a partir do Canal de São Marcos e as gaivotas voam em círculos sobre nós. Enquanto caminhamos rumo à entrada da catedral, olho ao redor. Apesar do calor, sinto um calafrio na espinha, uma brisa sinistra totalmente imprópria num dia como hoje. O homem de chapéu preto surge novamente. Ele para e eu novamente o perco de vista em meio à multidão.

Passamos da canícula das ruas de Veneza para a escuridão refrescante do interior da Catedral de São Marcos. Respirar ali é como tomar um banho suave e refrescante de óleos, incenso e elementos sagrados. Se fechar os olhos, me sentirei novamente no convento. Numa estátua, um Jesus crucificado estampa em seu pobre rosto ensanguentado a agonia de um mundo de pecadores. A chama de pequenas velas dança na capela lateral, onde uma Nossa Senhora se curva em postura de divina humildade. A enorme cúpula da igreja absorve e faz reverberar os sussurros dos fiéis.

Beatrice sempre me dizia que todos os visitantes da Catedral de São Marcos têm a mesma expressão facial: um ar de devaneio, mas observador; em estado de prece, mas alerta. Vejo isso nos rostos dos presentes hoje. Velhas senhoras, em pequenos grupos, se ajoelham em adoração perto do altar, rosários de contas entre os dedos. Um frade anda ligeiro pelo altar, numa postura formal. Uma mulher de capa amarela entra na igreja depois de mim e de Paulina, com um olhar límpido e brilhante que me lembra os olhos de um cervo.

Quando ela se ajoelha diante do altar, uma das velhas se afasta, carrancuda.

No altar, Paulina e eu fazemos a genuflexão. Molhamos a ponta dos dedos na água sagrada e nos benzemos. Esses rituais antigos me aliviam, me remetendo ao ritmo de meu passado. Deus está observando, e me pergunto se Ele me reconhece neste instante: aquela que um dia foi uma pequena noviça em hábito marrom.

— Tem uma coisa que eu gostaria que você visse — Paulina sussurra.

Acompanho-a até a extremidade sudeste da catedral, a partir de onde passagens subterrâneas conduzem ao palácio do duque. Por trás de uma fachada de marfim na qual estão entalhadas cenas dos milagres de Cristo, há dois sarcófagos ligeiramente elevados: um de pórfiro, púrpura e marrom, e outro de mármore preto polido. Estão dispostos lado a lado e têm o mesmo comprimento.

— Quem eram estes? — pergunto. Minhas palavras saem sussurradas, mas elas parecem violar a tragédia que paira sobre os dois túmulos.

— Lembra-se do casal que o duque expulsou da festa, o homem e a esposa vestidos de preto?

Os pais de Carina.

— Julius de Ferrara e sua esposa — digo.

— Isso mesmo. Bem, eis o porquê de tudo. — Ela aponta os sarcófagos com um gesto. — Esses meninos eram os filhos condenados de inimigos poderosos. Nunca consegui entender o porquê de eles terem sido enterrados lado a lado dessa forma. Talvez para que as famílias pudessem destilar seu ódio entre si, de um túmulo a outro. Os De Ferraras perderam seu único filho. O duque e sua esposa pelo menos ainda têm seu segundo filho, Nicolo.

Ela sorri consigo mesma e seus olhos brilham em minha direção, mas estou pensando em Carina. Agora compreendo a severidade escondida sob sua aparência de felicidade — ela está de luto por seu pobre irmão.

Paulina prossegue:

— O duque e sua esposa, a duquesa Besina... O filho deles, enterrado aqui, se chamava Roberto. — Ela acena com a cabeça na direção do túmulo de cor púrpura. — Ele tinha apenas 11 anos. Os De Ferrara juraram vingança quando o duque executou o filho deles por traição. Eles descobriram que Carlo era inocente; portanto, em represália, assassinaram o filho do duque com facadas no coração. Dizem que a faca lhe atravessou o corpo, saindo pelas costas.

— Como é que alguém pode fazer uma coisa dessas a um menino?

Paulina balança a cabeça.

— Dizem que é muito fácil contratar os serviços de um assassino nas docas. Bastam algumas moedas de prata. Isso não garante a absolvição, mas poupa a pessoa de manchar as próprias mãos de sangue.

É tão fácil assim?, me pergunto. Vem-me à mente a lembrança do homem que aterrorizou Faustina naquela noite. Será que ele foi contratado para matar minha irmã?

Balanço a cabeça.

— Quantas vidas desperdiçadas...

— De algum modo, a vida de seus pais também foi desperdiçada, considerando as rixas que eles vêm alimentando desde então — ela responde. — Carina está farta disso tudo. Ela não quer ter mais nenhuma ligação com essas coisas. Às vezes me pergunto se é por essa razão, para escapar da própria família, que ela se casou com Raffaello.

Não consigo deixar de pensar nos jovens esqueletos debaixo destas decorações macabras. Caminho entre eles até onde reluz uma fileira de velas. Pego uma vela comprida e com ela acendo outras duas, uma para cada menino, e então uma terceira para Beatrice. Volto e fico parada ao lado de Paulina, que inclina a cabeça e faz o sinal da cruz.

— Laura — diz ela, lançando um olhar furtivo ao redor. — Tenho uma coisa para lhe contar.

Ela me puxa pelo cotovelo, afastando-me dos túmulos, e sinto a excitação em suas mãos. Estou prestes a conhecer mais um segredo.

— O que é? — pergunto.

Ela ergue a cabeça. Seus olhos brilham.

— Eu lhe contei isso tudo porque... porque talvez eu comece a fazer parte disso.

— Fazer parte dessa vingança?

— Oh, não! Isso, não... Lembra-se de eu ter dito a você que o duque tem um segundo filho, o irmão mais novo do pobre Roberto, chamado Nicolo?

Concordo acenando a cabeça, dando-me conta, então, de como acabará essa história toda.

— Bem, adivinhe qual foi o nome que Nicolo gravou no tronco do cipreste, nos fundos do palácio. Vamos, adivinhe!

Coço o queixo, fingindo pensar a respeito.

— Faustina?

Ela parece tomada por uma onda de contentamento. Dá-me um empurrão em tom brincalhão e então aperta as palmas da mão contra o peito.

— O meu! — exclama. — É quase certo que me casarei com ele!

Duas senhoras interrompem suas preces, olhando para nós em tom de reprovação.

Beijo-a no rosto e, abaixando o tom de voz, digo:

— Estou tão feliz por você! Casar-se com a pessoa que ama... e pensar que Nicolo pode até mesmo ser eleito duque um dia!

— Ele é maravilhoso! — ela diz. — Eu o amaria mesmo se ele não tivesse um centavo. Tantas garotas tentaram atrair a sua atenção, mas ele diz que seu coração pertence a mim. Acho que pedirá minha mão durante a caçada que o conde Raffaello promoverá neste fim de semana. Você foi convidada?

Sinto uma tristeza profunda. Depois da discussão que meu pai teve com Raffaello, claro que não fui convidada.

— Não sei — murmuro.

— Oh — ela diz, apertando minha mão —, tenho certeza que Carina fará questão de que você esteja presente. Laura, estou tão feliz de ter você por perto de novo. Mantive em segredo a história sobre Nicolo por tanto tempo, mas eu tinha de contar a você.

Caminhamos sob as cúpulas onde reverberam os sons, de volta à grande entrada.

— E não se preocupe — ela acrescenta. — Logo encontraremos também um par ideal para você!

Sorrio, embora no fundo eu sinta que deveria agradecer por ter escapado ao casamento por enquanto. Acho que jamais serei capaz de sentir toda essa felicidade que vejo no rosto de Paulina.

Quando saímos à Praça São Marcos, protegendo os olhos do brilho do sol, avisto a mulher de capa amarela. Quando passamos ao seu lado, ela estende a mão.

— Deem um pedaço de pão a uma pobre pecadora, minhas senhoras — ela murmura. — Deus as abençoe. Deus as abençoe.

Há certa fragilidade em seus olhos castanhos que me faz revirar minha bolsa.

— Você não deveria incentivar os mendigos, Laura — Paulina me censura de modo abafado.

— Eu já fui freira — lembro a ela. — O atendimento aos necessitados foi o único gesto sagrado que presenciei naquele convento.

— Obrigada, menina misericordiosa — diz a mulher. Ela sorri para mim, covinhas formando-se em suas bochechas bronzeadas. — Deus lhe pague.

Coloco as moedas na palma de sua mão. Mas, de repente, os ruídos da praça e o pedido insistente de Paulina para sairmos dali desaparecem e meu mundo fica limitado a uma coisa: o anel trançado em ouro no dedo da mendiga.

É o anel de minha irmã.

Minha bolsa me escapa da mão. Todo o conteúdo se espalha no chão, tilintando como pequenos sinos.

— Laura! — exclama Paulina, abaixando-se para recolher os objetos.

Mas eu a ignoro. Um gosto amargo me sobe à garganta.

— Onde você conseguiu este anel?

O sorriso da mulher desaparece do rosto. Ela dá um passo para se afastar, mas seguro-a pelo pulso.

— Deixe-me ir embora — ela balbucia, debatendo-se para se desvencilhar de mim. Agarro-a pela capa amarela. Os contornos de seu rosto têm um ar cansado, bem diferentes da força e flexibilidade de seu corpo jovem. Seus olhos castanhos revelam uma angústia, mas são também intensos. Enquanto brigamos, a capa dela se abre, revelando um vestido de seda azul. Está rasgado e gasto e expõe as curvas de seus seios e a pele de sua barriga. Ela não é apenas uma mendiga. É uma das mulheres que circulam pela noite veneziana.

— Por que você está usando o anel de minha irmã? — grito, em tom histérico. — O que sabe sobre Beatrice?

Ela se desvencilha de mim e se afasta, apontando o dedo com o anel em minha direção.

— Afaste-se!

A multidão que se aglomerou para assistir à cena abre caminho para a mulher passar, como se ela estivesse prestes a sacar uma faca do peito de seu vestido de seda manchado. Ela desaparece em meio às ruelas escuras e canais, o tecido de sua capa esvoaçando atrás dela como asas de um pássaro gigante.

Capítulo 20

— Eu não deveria ter me entregado aos prazeres dessa maneira — diz Paulina, aflita. — Ficar falando desse jeito sobre Nicolo enquanto você ainda está em luto pela querida Beatrice. Oh, Laura, me perdoe.

Mal escuto o que ela me diz enquanto a gôndola nos distancia lentamente da cena dramática na praça, seguindo de volta para a casa de meu pai.

— Por que é que aquela mulher está com o anel de minha irmã? — eu me pergunto, sabendo que Paulina não saberá responder.

— Laura, você tem certeza absoluta de que era o anel de Beatrice? — Ela segura minha mão e olha para meu anel. — O desenho dele não é tão incomum assim. Deve haver centenas de anéis iguaizinhos a este. Não quero vê-la chateada por uma bobagem.

Ela fala comigo com suavidade, com uma expressão serena, e mostrando interesse. Não sei como responder.

Desembarcamos e Paulina insiste em me acompanhar até o palácio.

— É sério, não há necessidade — digo. — Tenho certeza de que você tem muitas coisas a fazer.

— Não seja boba — diz ela.

Ambas ficamos em silêncio. Ela não acredita que a mendiga estava usando o anel de Beatrice. E por que deveria? Não foi ela que olhou para o anel dia após dia, durante seis anos. Embora nossos braços estejam entrelaçados, o episódio ocorrido na Praça São Marcos nos separa. No momento em que chegamos à porta principal, ela poderia muito bem estar me olhando a partir do cume de uma montanha, tamanha é a distância entre nós duas.

Meu pai se despede rapidamente de Paulina, me puxa para dentro e fecha a porta. Através da alta vidraça, eu a vejo correndo na direção do portão. Ela balança seu leque de modo que fica parecendo uma bola colorida rolando em sua mão.

A expressão de meu pai ganha um ar sombrio:

— Por que você demorou tanto? — ele pergunta. — Bianca e Faustina estão esperando por você lá em cima. Ande logo!

— Mas, pai, o que...

— Olhe só para o estado das suas roupas — ele interrompe. Olho para baixo e vejo que minhas sapatilhas de seda e a barra de meu vestido laranja trazem manchas de poeira das ruas de Veneza. — Vá!

Perturbada, subo as escadas tropeçando. Faustina e Bianca colocam sobre a cama um vestido creme com bordas douradas. Bianca olha para minha sapatilha imunda e solta um pequeno gemido.

Faustina me puxa em sua direção e começa a abrir meu vestido.

— Paulina e eu estávamos em São Marcos — digo a ela. — Vi uma mulher lá. Uma prostituta. Ela estava usando o anel de minha irmã, Faustina. Tenho certeza disso.

Com as mãos imóveis e sussurrando para que Bianca não possa escutar, ela diz:

— Querida, como é que isso seria possível?

Sua reação é a mesma de Paulina.

— Sei muito bem o que vi.

Ela encosta a palma da mão em minha testa.

— Você está quente — ela murmura. — É este clima. O que aconteceu a Beatrice é horrível, chocante. Você precisa tentar não ficar perturbada com isso.

Ela termina de desenganchar meu vestido e ele cai no chão. Tiro o vestido, derramando lágrimas de frustração. Quero dizer mais coisas, mas, com Bianca por perto, fica difícil.

— Estamos nos preparando para quê? — pergunto.

— Para o duque — diz Bianca, despejando gotas de água de rosas na vasilha de água. — Ele convidou seu pai para uma visita hoje à noite.

Fico espantada.

— O duque? De Veneza?

— Não, o duque da Lua — diz Faustina, sorrindo.

Ela segura meu cabelo para trás enquanto Bianca torce um pano numa vasilha de água fervendo e o passa em meu rosto. Elas se movem apressadas ao meu redor, como pombos brigando numa árvore. Lavam meus cabelos e dão um realce a meus cachos naturais com pinças de marfim que pressionam o couro cabeludo. Colocam em mim o vestido cor de creme e o apertam em minha cintura e me põem um colar de ouro. Os cachos de meu cabelo secam ao redor do rosto e ombros. Não me tocam na pele do rosto, mas para meus lábios elas preparam uma mistura de besouros carmim esmagados e hena. Quando elas seguram o espelho diante de mim, minha imagem exibe um brilho que não reflete a mistura de sentimentos dentro de mim. Tenho a aparência de uma mulher privilegiada, jovem e despreocupada, sem qualquer inquietação além de manter limpas minhas sapatilhas de veludo.

O duque observa a sala enquanto sua esposa passa por entre os convidados. A sala onde estamos é menor e mais intimista do que o salão onde aconteceu o baile, mas seus ornamentos e decoração não são menos impressionantes. Nas paredes, enormes tapeçarias retratando guerras e banquetes, vinhetas de tempos antigos. Reconheço algumas delas por causa dos livros de minha mãe. Num canto, Eneias foge de Troia carregando seu pai às costas, guiando o jovem Ascânio pela mão. Mais adiante, o herói errante se apresenta diante de Dido, rainha de Cartago. Cada centímetro de cada uma das amplas mesas ao redor das quais as pessoas se movimentam é coberto de pratos — delicados pães em formato de rocambole, peixes e carnes da Toscana. No centro de uma mesa, uma travessa com leitão. Azeitonas verdes e pretas reluzem em pequenos recipientes de terracota. Os homens as apanham com os dedos, jogando-as para dentro da boca como se estivessem devorando uma presa. As mulheres usam garfinhos de prata e guardanapos, dando pequenas beliscadas em meio a fragmentos de conversa. Até mesmo os criados têm uma aparência magnífica, vestidos de branco e verde intenso.

A esposa do duque, com seu leque preto e dourado, irradia uma boa saúde, mais do que as mulheres mais jovens e delicadas. Ela sorri e toca nos cotovelos das pessoas ao conversar com elas. De tempos em tempos, olha de relance para seu marido. Seu olhar encontra o meu e ela me acena com a cabeça. Faço uma mesura, perguntando-me se ela poderia imaginar que, dentre todos os presentes nesta sala, eu é que traí o segredo do duque.

Apanho uma gorda azeitona verde de uma bandeja que um criado me oferece. Do outro lado da sala, vejo Allegreza num vestido preto com ranhuras brancas na saia e penas pretas no cabelo. Animada, ela conversa com um grupo de mulheres mais velhas. Imagino que esteja sussurrando para elas o segredo do duque; a seguir, elas o contarão para outras pessoas, até que isso se espalhe como praga pelas casas, estabelecimentos comerciais, barcos e barcas de nossa cidade.

— Laura, endireite sua postura — alerta meu pai.

O duque se aproxima de nós. Seu suntuoso gibão púrpura brilha à luz da vela.

Sinto meu rosto corar. O caroço da azeitona ainda está em minha boca. Coloco a mão nos lábios, cuspindo-o na palma, e guardo-o em minha bolsa de veludo. Sinto-me desastrada, incapaz de lidar com os códigos sociais de polidez. Certamente jamais aprenderei a linguagem das festas de Veneza, com suas nuances incompreensíveis, olhares, murmúrios, poses e farpas verbais.

— Sua Alteza — diz meu pai com uma ampla mesura. Imito o gesto a seu lado.

— Antonio, Laura. Muito prazer, muito prazer. Que episódio terrível aquele com Vincenzo. Quem poderia imaginar uma coisa dessas?

— Sim, obrigado, Sua Alteza — diz meu pai, fazendo nova mesura. — Eu lhe sou eternamente grato por lidar prontamente com esse assunto em nome de todos.

— Não há de quê — diz o duque. Ele ergue a mão e balança ligeiramente a cabeça. Seus olhos se voltam para mim e ele me encara, um pouco mais longamente do que seria desejável. Por um breve e terrível instante, eu me pergunto se está tentando lembrar onde me viu antes. Mas, logo a seguir, ele sai caminhando em meio à multidão.

— Deus me amaldiçoe! — meu pai sussurra. Seus punhos estão cerrados. — Estou perdido!

— Mas o duque foi simpático conosco.

— Os homens que obtêm favores do duque conseguem conversar com ele durante dois ou três minutos. Quanto tempo ele ficou conosco? Não deve ter sido mais do que alguns segundos. Que diabo! E você, então? Simplesmente ficou aí parada, feito uma marionete, esperando que eu a colocasse em movimento.

Sinto raiva dentro do peito.

— E o que o senhor queria que eu dissesse?

Ele faz gestos amplos com as mãos.

— *O que* você diria não teria importância, contanto que dissesse algo. Que mudasse de assunto. Que comentasse sobre o clima. Que se mostrasse charmosa e espirituosa, como sua irmã sempre foi.

Sinto vontade de revidar, de dizer que não posso fazer nada se ele sente que quem morreu foi a filha errada. Porém, meu futuro está nas mãos dele e não ouso fazer isso. Murmuro um pedido de desculpas e saio caminhando para longe dele, por entre a multidão.

Allegreza caminha em minha direção. Finjo não ter percebido a presença dela e apresso o passo. O que ela poderia querer de mim? Troquei o segredo que eu tinha por aquilo que a Segreta fez com Vincenzo e agora não tenho mais nada a ver com elas. O poder delas me assusta.

Mas Allegreza me persegue pelo salão, como uma aranha cercando uma mosca, preparando o ataque. Coloca uma mão fria em meu braço.

— Por favor, não — digo, tentando me desvencilhar.

Ela aperta meu braço, as sobrancelhas arqueadas sobre seus olhos amendoados.

— Ora, você não me conhece mais, minha pequena?

Não dá para saber se seu tom é de crítica ou provocação.

Balanço a cabeça.

— Desculpe-me, eu... eu sempre lhe serei grata. Mas já lhe paguei por isso. Portanto, por favor, me deixe em paz.

Ela me puxa para junto de si e sussurra rapidamente. Suas palavras me deixam numa situação sem saída.

— Não posso fazer isso, Laura. Ao aceitar nossa ajuda, você se ligou a nós. Vamos nos encontrar no monastério amanhã à noite. Você estará lá. Um barco estará à sua espera. Fique atenta para a chave.

Com o farfalhar da seda do vestido, ela larga meu braço e se afasta.

A cicatriz em minha mão está praticamente curada, mas percebo, agora, que ela não tem nada de inconsequente.

Lembro o que aprendi no convento. A dívida nunca é paga.

Capítulo 21

Desço por uma escadaria estreita na direção de um jardim perfeitamente simétrico, com a mão apertada contra o peito para desacelerar a respiração. Numa parede baixa, uma fileira de candeeiros ilumina árvores e arbustos bem podados em linhas e círculos bem desenhados. Estes são atravessados por pequenos caminhos de pedra, ladeados por grupos de pequeninas flores coloridas. Inspiro profundamente a fresca brisa noturna. Sinto-me bem ao me ausentar do palácio e de sua nauseante atmosfera de ambições e intrigas.

O muro do jardim ladeia uma rampa que desce até a Baía de São Marcos — a extensão d'água em frente ao palácio do duque. Seguro o vestido com uma mão, levantando a barra para poder seguir a parede até a orla, mas avisto, de repente, uma silhueta no céu noturno. Há uma caixa com lápis de carvão a seu lado e, pelo movimento de seu braço, dá para ver que ele está fazendo um esboço.

O pintor.

Ele parece tão absorto em seu trabalho que não percebe minha presença.

— Olá — digo.

Ele leva um susto e se volta em minha direção. Sua boca vermelha se abre num sorriso e seus olhos negros brilham. Ele se coloca rápida e desajeitadamente em pé.

— Olá, de novo — diz ele.

— Por favor, não precisa se levantar.

Ele se reacomoda na cadeira e dá um tapinha no espaço vago a seu lado. Levanto o vestido e me sento ali, com as pernas curvadas sob a cadeira.

— Meu pai e eu viemos para a festa do duque — explico.

— É uma pena. Achei que você estivesse me perseguindo.

Dou risada. Talvez seja a luz, ou então minha imaginação, mas as faces dele me parecem mais rosadas.

Ele apanha um lápis de carvão. Em seu colo, uma prancha com um pedaço de pergaminho fixado. Ele dá rápidas pinceladas na superfície.

— O que você está desenhando? — pergunto.

Ele inclina a gravura em minha direção. O cenário é o que está à nossa frente: a água, os prédios baixos da Ilha Giudecca estendidos no horizonte. Acho incrível que algumas poucas linhas consigam me transmitir o frescor do canal e a solidez das pedras das construções.

— Está perfeito! — murmuro.

Ele sorri.

— Jamais estará perfeito.

Ele vasculha dentro da caixa e tira dela um lápis fino e delicado. No primeiro plano da cena ele esboça uma gôndola preta brilhante. Acrescenta um gondoleiro curvado, conduzindo seu barco, e então um passageiro sentado — uma mulher. A inclinação dos ombros dela, os contornos de seu pescoço e seu olhar cabisbaixo me são imediatamente familiares.

— Esta sou eu! — digo, ofegante. Sou invadida por uma sensação de prazer. — Eu nunca apareci num quadro antes.

— Um dia eu gostaria de pintar um retrato seu decentemente, uma pintura em tela.

Ele sustenta meu olhar. Seus olhos escuros parecem estar em busca de algo dentro dos meus de um modo tão intenso que sou forçada a desviar o rosto, olhando para meu vestido. Percebo que talvez esteja mesmo parecida com a imagem representada no quadro.

— Mas, por enquanto, este aqui precisa de um nome — diz ele. — *Vista noturna de Giudecca, com Signorina...?*

— Laura.

Ele repete meu nome, alongando as sílabas ao pronunciá-lo.

— Eu sou Giacomo.

Os sinos da torre de São Marcos badalam na hora cheia. O som ecoa pelas igrejas da cidade.

Onze horas. Eu já deveria estar de volta. Meu pai já deve perguntar onde estou.

Sorrio.

— Preciso ir.

— Claro — diz ele.

Ele me ajuda a levantar e ficamos parados ali por um instante, imóveis. Ele não tira os olhos de meu rosto. Murmuro um "adeus" e sigo caminhando de volta pelos jardins. Enquanto caminho, fico na expectativa de que ele esteja lá parado, ainda olhando para mim.

Nessa mesma noite, meu pai e eu estamos sentados na sala de jantar. Ele resmunga baixinho enquanto abre mais uma garrafa de sua adega, despejando o vinho de coloração rubi na taça com mão trêmula. Com os cabelos numa longa trança, já preparada para a noite, Bianca nos serve. Ela tenta colocar uma rolha na garrafa, mas ele a dispensa com um gesto de mão.

Ele aponta para mim.

— Você precisa começar a cooperar. Peça a Paulina que lhe apresente a mais pessoas do círculo dela. Fui informado de que ela se casará com o filho do duque.

— Sim, papai. Nós duas conversamos sobre isso hoje.

— Bem, e quais são as novidades? — ele pergunta, inclinando-se em minha direção como se algo estivesse escrito em meu rosto. Sua fala sai enrolada e seu hálito está azedo de bebida.

— Ela mencionou a caçada que Raffaello e Carina promoverão.

De imediato, me arrependo de ter dito isso. Ele engole o conteúdo da taça e então a atira no chão. Ela se espatifa, formando uma poça, mistura de borra de vinho e estilhaços de vidro.

Vejo Bianca balançando a cabeça, zangada. Alguém bate à porta, de leve, e ela sai da sala.

— Maldita caçada! — ele berra. — Veneza inteira participará, e não estamos sequer na lista de espectadores! Você sabia que Beatrice e eu estivemos lá no ano passado? Foi lá que ela encontrou Vincenzo pela primeira vez. Ah, se pelo menos eu fosse membro do Grande Conselho... Como tudo mudou... E você! — Ele se levanta e dá um murro na mesa. — Se eu não lhe encontrar outro marido, você simplesmente terá de voltar ao convento! Então, a decisão é sua: se você não for capaz de encontrar um homem por intermédio de Paulina, não terei mais condições de mantê-la aqui.

As palavras dele me ferem, mas me sinto esgotada e já é tarde demais para começar uma discussão.

Bianca reaparece à porta da sala de jantar.

— Com licença, mestre — diz ela. — Tenho uma mensagem para o senhor. Ela foi entregue hoje cedo. — Ela lhe estende um pergaminho cor de creme. — Esqueci de entregá-la ao...

Meu pai agarra rapidamente o pergaminho e rompe o selo de cera.

É um convite para a caçada. O nome dele e o meu estão escritos com tinta preta.

Meu pai dá um pulo, derrubando a cadeira. Sua carranca se transforma num sorriso, ele me segura pela mão e me faz dar um rodopio.

— Os Della Scalas ainda são uma família respeitada! — ele ri. — Acho que nem tudo está perdido, afinal.

É como se eu vivesse com duas pessoas completamente distintas. Num instante ele se mostra casmurro, criticando tudo, com a cara amarrada. No seguinte, está agitado, excitável, sorridente. Não sei qual das duas versões é a pior.

Ele pega outra garrafa de vinho e apanha mais uma taça na estante. Enquanto ele se serve de nova dose, Bianca me chama, gesticulando com os dedos.

— Tem um mensageiro aí fora — ela sussurra. — É por isso que me lembrei de falar do convite. A mensagem é para você. Ele diz que deve entregá-la a você pessoalmente.

Sinto um arrepio de excitação. Uma mensagem para mim? A uma hora dessas? Volto para a mesa.

— Pai, já está tarde, acho que irei para a cama.

Ele ergue a taça em minha direção.

— Sim, claro, minha boa menina! Logo eu também me recolherei.

Suspeito que, ao levantar pela manhã, eu o encontrarei prostrado sobre a mesa, a garrafa vazia a seu lado.

Bianca e eu saímos correndo da sala.

— Cadê? Cadê ele? — Nem sequer me preocupo em disfarçar a empolgação estampada em meu rosto.

— Pedi a ele para esperar no pátio, perto do banco — diz Bianca.

Corremos pela antessala, e então abro a porta da frente.

Bianca me toca no ombro.

— Eu estarei aqui ao lado. Se precisar de mim, é só chamar.

Sorrio para ela, com gratidão, e corro pelo pátio. Minha expectativa é encontrar um homem de cabelos escuros e rosto cor de oliva, com manchas de tinta nas roupas. O aroma de bálsamo de limão paira no ar. Meus passos apressados assustam um gato, que solta um miado malicioso. Então, eu o vejo: uma pessoa sentada no banco, sob a sombra do cipreste.

Não é quem eu esperava. Nunca vi esse homem antes.

— Oh — digo. Tento recompor a pose. — Olá.

— *Signorina* — o homem responde, com uma mesura —, meu nome é Mathieu. — Seu sotaque não me é familiar. Talvez seja do sul, de Nápoles. Tem a idade de meu pai, com rugas graciosas ao redor dos olhos. Ele retira algo do bolso da jaqueta. — Sou criado de Giacomo. Meu mestre me enviou para lhe dizer que você está muito presente nos pensamentos dele. Ele me pede para lhe entregar esta lembrança como sinal de afeição.

Ele me estende um pacotinho, embrulhado num papel macio de seda laranja. Puxo o cordão que o amarra e vejo um pássaro de madeira: uma andorinha com as asas abertas, lindamente entalhada, com acabamento perfeito. Sorrio ao ver o presente.

— Mathieu, obrigada — digo. — E, por favor, transmita a minha gratidão ao *Signor* Giacomo.

— Claro — diz ele, inclinando a cabeça numa pequena mesura. Ele se vira ligeiramente para partir e então sorri. — A *signorina* é exatamente como ele a descreveu.

Eu me pergunto o que ele quis dizer, enquanto ele caminha ao longo do muro baixo e através dos portões de meu pai, em passos determinados e objetivos.

Entro de volta na casa. Ouço meu pai roncando na sala de jantar e pego um casaco de pele que está ali por perto, colocando-o sobre seus ombros.

Porém, embora esteja extremamente cansada, não consigo dormir, por mais nítida que seja a lembrança de Faustina colocando mel em minhas pálpebras. Deito de lado, enrolada, segurando o presente de Giacomo entre os dedos, virando-o para cima e para baixo e imaginando os dedos dele fazendo o mesmo. Meu corpo treme e tento acalmar minha mente. Não devo ter pensamentos desse tipo em relação a um pintor. Isso é muito errado.

Capítulo 22

Na noite seguinte, sento-me à janela, observando o movimento das sombras pelo pátio, enquanto espero o silêncio cair sobre a casa. Calculo que tenho quase quatro horas antes que os primeiros sinais da manhã comecem a se insinuar em meio às nuvens da noite. Tomo uma decisão. Preciso fazer o que Allegreza disse. Se o poder delas é grande como sugere a rapidez da partida de Vincenzo, então a Segreta talvez possa ser útil para desvendar o outro segredo que me atormenta. Afinal, assassinatos são tramados a partir de segredos. Uma motivação se oculta na mente de um assassino até ser descoberta: uma dívida que não pode ser paga, um caso de adultério, ciúmes que desabrocham numa flor venenosa de ódio. Se eu puder descobrir o motivo pelo qual minha irmã foi assassinada, talvez isso possa me levar à descoberta de seu assassino.

Levanto-me, coloco um vestido verde de linho e ponho a capa sobre os ombros. Retiro minha máscara do esconderijo na última gaveta, coloco-a no fundo bolso de seda da capa e saio pela noite.

Há vários barcos espalhados pelo porto, e os marujos estão sentados no píer, conversando em voz baixa. Porém, um dos barcos me chama a atenção: em seu casco, vejo os contornos de uma chave. Quando o barqueiro me vê, coloca-se em pé, alerta. Passo pelos demais barcos e chego ao dele.

— Você pode me levar até San Michele? — pergunto, oferecendo uma moeda. Apesar de nossa penúria, meu pai me dá uma pequena mesada.

O barqueiro faz um sinal com a mão, dispensando o dinheiro.

— Será um prazer — diz.

A sensação é de que já fiz este trajeto mil vezes. Talvez seja a frequência com que percorri mentalmente esta trilha.

Quando o barco desacelera e para, agradeço ao barqueiro e desço novamente no pátio de piso quadriculado. O frade reaparece; ele acena com a cabeça, num cumprimento silencioso, e sigo-o dentro do monastério. Suas sandálias não fazem barulho, mas meus passos ecoam como se um solitário estivesse batendo palmas no escuro.

Serpenteamos em meio ao labirinto de corredores e subimos a escadaria. À medida que nos aproximamos da sala de reuniões, coloco meu disfarce branco e cintilante. O frade dá um passo para o lado e vejo as mulheres reunidas do modo como estavam antes. A mulher com a máscara de raposa é a primeira a notar minha presença.

— Ah, é o pequeno cisne — diz ela.

Allegreza está no centro do grupo, com sua máscara de coruja, mas quem me acena para vir à frente é outra mulher.

— Bem-vinda. — A máscara dela tem o formato do focinho de gato preto, cravejada com pedaços de azeviche. Veste-se toda de preto, da cabeça aos pés. Usa longas luvas pretas e seus cabelos brancos estão presos por uma fita preta de cetim. — Você não tem motivo para ficar nervosa, minha criança. Somos todas amigas.

Reconheço imediatamente sua voz, e o rosto sob a máscara, embora invisível, ganha contornos em minha mente. É Grazia, a mãe de Carina: a mulher que foi expulsa, junto do marido, da festa do duque. A mulher cujo filho está sepultado na Catedral de São Marcos.

— Eu vi você — digo. — No palácio do duque.

Temo ter dito algo de errado, mas, se a ofendi, ela não dá a menor demonstração disso.

— Há coisas que a gente não esquece — diz ela. — Nossos filhos pagaram um alto preço, alto demais para pessoas tão jovens.

— Sinto muito pela perda que sua família sofreu.

— Obrigada — diz ela —, mas a sua dor é ainda mais recente.

Ela coloca a mão quente sobre a minha.

As mulheres da Segreta formam um semicírculo, de frente para mim. Grazia acena com a cabeça. Será que esperam que eu diga algo?

— Quero agradecer a vocês — consigo dizer. — Vocês arquitetaram minha liberdade, e por isso eu sou...

As mulheres murmuram entre si. Elas me olham de modo penetrante, como um bando de pássaros hostis, estridentes e alertas. Algumas cobrem as orelhas da maneira como as freiras faziam no convento quando ouviam algo que achavam que não deveriam.

Allegreza ergue a mão.

— Silêncio! Nem mais uma palavra.

— Eu não entendo. Vincenzo...

Ela dá um passo em minha direção. Seu tom de voz é baixo, mas não hostil.

— Laura, nós achamos que você tinha compreendido. Ninguém jamais discute as atividades da Sociedade, tampouco insinua que ela é a responsável por quaisquer atitudes ou eventos ocorridos em Veneza. É perigoso associar-nos ao que quer que seja. Há fendas em todas as paredes desta cidade. Há janelas, frestas e buracos por onde os boatos podem vazar. Você compreende? Isso é para a proteção de todas nós, inclusive a sua.

— Eu sinto muito, não tinha percebido isso.

— Há mais uma coisa que você precisa fazer por nós, Laura — diz ela.

Balanço a cabeça.

— Não tenho mais nenhum segredo.

— Não é isso — diz ela. — Precisamos que você recrute uma pessoa de confiança para a Segreta. Que você a traga aqui para juntar-se ao grupo.

Eu a encaro, espantada.

— Mas como é que poderei fazer isso? Não tenho sequer permissão para falar da existência desta organização.

As mulheres riem, balançando as cabeças sob as máscaras que se agitam. Sinto meu rosto corando. Não faço a mínima ideia de como fazer o que elas me pedem.

— Consegui fazer o mesmo com você — diz Allegreza —, portanto você encontrará uma maneira. Pois você é uma garota inteligente e tem uma força dentro de si que mal começou a usar.

— E se eu fracassar? — pergunto, baixinho.

Ninguém responde, e minha mente preenche o silêncio delas com uma dezena de ameaças. O poder dessas mulheres provoca uma vibração que toma conta da sala. Elas conseguiram destituir um membro do Grande Conselho; o que uma menina de convento pode significar para elas?

Ouve-se o badalar de um sino distante, e a reunião se encerra. Caminhamos de volta, em procissão pelo monastério. Grazia caminha a meu lado. Vários barcos se aproximam da margem de piso quadriculado. Os barqueiros nos conduzem de volta à ilha principal enquanto o céu se ilumina, pequenos barcos dispersando-se para todos os lados.

Enquanto seguro a beirada do barco que balança, ocorre-me uma constatação cristalina: do mesmo modo como a Segreta mexeu suas peças, tirando Vincenzo de cena, agora elas estão me manipulando.

Capítulo 23

— Mal posso esperar para cavalgar novamente! — meu pai anuncia. — Só espero que não me tragam um velho pangaré.

Com pequenas variações, ele já disse isso três vezes esta manhã. Começo a sentir pena do cavalo. A brevidade de nossa conversa com o duque e o exílio social que isso implicou parecem ter sido esquecidos.

Dependendo de como a luz incide sobre meu vestido, seu brilho é claro como um violeta pálido ou escuro como a cor viva de uma ametista. Por sorte, uso um amplo chapéu enquanto atravessamos, rumo às terras continentais do Vêneto, numa barca que integra uma pequena frota enviada por nossos anfitriões. Inclemente, o sol torna as faces dos jovens ainda mais joviais; as faces dos velhos, ainda mais envelhecidas. Assim que desembarcamos no outro lado, uma carruagem simples nos leva até o pavilhão de caça de Raffaello e Carina, que fica às margens de um pequeno lago. A construção alta e com pequenas torres é resplandecente, e os portões nos acolhem como os braços abertos de um parente querido. A grande novidade — que me chega por intermédio de pelo menos três pessoas — é que o próprio duque não pôde vir por estar adoentado. Culpada, eu me pergunto se essa doença é aquela sobre a qual não fui capaz de guardar segredo. Ninguém parece estar chateado com sua ausência; se algo mudou, é o clima agora desanuviado: tais quais alunos na ausência do professor, as pessoas sentem que não estão sendo vigiadas.

Os homens cumprimentam as senhoras de mãos enluvadas. Mulheres de lábios enrugados tocam de leve o rosto dos homens. Laços de fita azul e amarela se agitam festivos entre árvores e colunas e parecem crescer à medida que nos aproximamos. Ao cruzarmos os portões, pendem soltos, numa profusão de enormes espirais de tecido que exalta a nobre família representada por estas cores.

Meu pai sorri o tempo todo. Dá a impressão de ter tido uma contratura muscular no rosto. Veste roupas de caça, desbotadas e gastas aqui e ali, mas boas o bastante — segundo sua avaliação feita ontem à noite — para mais uma expedição.

Chegamos em cima da hora. Vestidos em casacos de tecido brocado, calças pretas e botas afiveladas, os homens se reúnem em preparação para a caça. Com ancinhos, dois homens limpam a alameda larga e empoeirada. Os cavalos mantêm o olhar fixo. Suas narinas exalam vapor e seus cascos produzem um ruído surdo e suave enquanto fungam, impacientes. Um deles balança a cabeça, agitado. Chego perto e coloco a mão em seu focinho.

— Calma — sussurro.

Neste instante, sinto uma mão tocando meu ombro e tenho um sobressalto. Giacomo está a meu lado. Respiro profundamente. Ele exala um cheiro de tinta e maçãs. Sorri, vestido em suas roupas macias: calça preta de algodão, sandálias com os dedos à mostra.

— Olá — ele sussurra. Viro-me na direção dele, seu rosto bem rente ao meu.

— Você, aqui? — digo. É difícil desviar o olhar de seu rosto, mas preciso fazer isso, no caso de alguém estar me observando. — Quero dizer, eu não estava esperando.

Giacomo dá tapinhas no dorso do cavalo e cantarola baixinho sons confortadores, estalando a língua, para acalmá-lo.

— Fui incumbido de esboçar desenhos da expedição de caça e já estou atrasado com essa tarefa. Há muitas distrações ao redor.

— É isso o que eu sou? — pergunto.

— Uma distração muito bem-vinda.

— Obrigada pelo presente — sussurro. — Foi gentil de sua parte, mas... — De repente, eu me dou conta de que estamos muito próximos um do outro. Ele é ainda mais alto do que era em minha lembrança. Avisto meu pai, que, entre um e outro aperto de mão, observa ao redor.

— Mas o quê?

— Bem, eu só acho que seria melhor você não me enviar mais nada daquele modo. Meu pai poderia não gostar...

Ele parece desapontado.

— Está certo, Laura.

— Não é que eu não tenha gostado — eu me apresso a acrescentar. — O presente é lindo, só que...

— É melhor eu ir — diz. Ele faz uma mesura e se afasta de mim. A seguir, dá meia-volta e desaparece em meio à miscelânea de criados, nobres, ajudantes de estábulo e senhoras em vestidos de seda. Fico observando sua larga camisa branca e seus cabelos pretos encaracolados em meio à multidão.

Agitada, procuro meu leque na bolsa de veludo. Abro-o à minha frente. Ele também é púrpura, com fios prateados revestindo sua armação de ossos. Abano o rosto para me refrescar.

Carina surge à porta do pavilhão, vestida de amarelo. Raffaello a segura pelo braço e os convidados se voltam na direção dos anfitriões. Homens bebem vinho em cálices de prata. Alguns dos caçadores já estão montados em seus cavalos. Das árvores, pássaros coloridos soltam guinchos, anunciando o dramático início da caçada. Meu pai parece hesitante ao apoiar o pé no estribo. Talvez tenha perdido a destreza na montaria. Vejo Paulina em pé ao lado de um jovem em vestes douradas; a julgar por seu olhar radiante, imagino que seja Nicolo. Os criados abrem caminho por entre os grupos de hóspedes, enchendo cálices, oferecendo aperitivos e guardanapos. Os cães de caça observam a movimentação, babando e uivando com avidez.

Eu deveria ter sido mais enfática quando agradeci a Giacomo pelo presente. Devo ter passado a impressão de ser mimada e arrogante.

Por trás, alguém coloca as mãos sobre meus olhos e meu coração acelera. Eu me viro.

— Oh, é você, Carina. Co-como vai?

— Que bela manifestação de boas-vindas! — diz ela, sorrindo.

— Me desculpe, eu achei...

— Achou que eu era o pintor — diz ela, com um sorriso discreto. — Reparei em vocês dois envolvidos numa conversa.

Ela devia estar observando a partir de uma janela.

— Não seja boba — respondo, sentindo o rosto ficar quente novamente.

— Arrá, agora eu entendi! — diz ela, apontando-me o dedo. — Não preciso de muito para extrair a verdade de você! — Seu tom é de brincadeira, mas sinto os pelos da nuca se arrepiarem em sinal de alarme. Ela parou de sorrir e me puxa para perto, com a mão em meu cotovelo. — Você deveria ter mais cuidado. Sabe como é, é fácil demais ganhar má reputação e muito difícil recuperá-la, uma vez manchada.

Tento sorrir.

— Na verdade, Carina, você está imaginando coisas que não existem. Estávamos apenas trocando ideias sem consequência. Nada além disso.

— Sei — ela responde, mas num tom de voz seco. E sei que o que acabo de dizer não a convenceu nem um pouco.

Capítulo 24

Uma corneta de caça soa, estridente. Ouvem-se um tropel e um alarido, e uma nuvem de poeira se eleva. Os caçadores montam. Raffaello lidera o grupo na direção dos portões, pela pista demarcada pelas árvores. Os demais o seguem, galopando numa mistura de gritos frenéticos.

Passado o ruído provocado pelos cascos, reina o silêncio. Leva alguns minutos até que conversas serenas recomecem a surgir. No interior do alojamento com mobília esparsa, as mulheres se movimentam ao redor da mesa e dão instruções aos criados sobre a disposição dos pratos e das travessas de frios. Sorridentes e ocupadas, elas conversam. Algumas tiram os sapatos e seus sofisticados arranjos de cabelo, suspirando em alívio temporário.

À medida que as horas passam, as conversas versam sobre o parto dos filhos, doenças de parentes mais velhos, casamentos e romances, os percursos e as reviravoltas das ligações humanas. Embora eu tenha pouco a acrescentar, a conversa é confortadora, familiar. Nesse momento, em meio a essas mulheres refinadas, me dou conta de que sinto a falta de Giacomo. E se ele for ferido por um cavalo em velocidade, sem que o cavaleiro perceba sua presença? Ele voltará à noite ou retornará ao continente?

Sinto-me bem por estar isolada dos outros e encontro um local silencioso à sombra, ao lado da porta da cozinha, longe do burburinho.

Algumas mulheres brincam com uma bola, como crianças. Beatrice e eu costumávamos brincar disso; quase consigo ouvir os gritinhos de felicidade dela.

Sou chamada dentro da casa para ajudar a preparar a festa junto com os criados. Desempenhamos o papel como se estivéssemos numa espécie de paraíso rústico, fingindo ser esposas levando uma vida rural. Os verdadeiros criados mal sabem como reagir diante dessa inversão da ordem natural. Para eles, isso não é uma brincadeira, mas um incômodo. Carina entra correndo:

— Eles estão para chegar.

Esse é o sinal para nos aprontarmos. As mulheres voltam a calçar os sapatos e recolocam os chapéus. As empregadas aplicam pó de arroz no rosto de algumas delas e escovam seus cabelos.

De início, ouvimos o ladrar dos cães. Então, nós nos juntamos no pátio. A tarde vai caindo e o sol mergulha no horizonte por entre as árvores. Os homens suam, gritam e pedem vinho. Meu pai tem o semblante corado e parece um pouco cansado ao descer do cavalo. Um dos homens quebrou o braço durante uma queda e o traz envolto numa tipoia. Não há sinal de Giacomo, e fico sabendo, por meio de um cavalariço, que um barco partiu novamente rumo à ilha. Os homens apresentam o saldo da caça: dois cervos, brutalmente atingidos no pescoço, os olhos quase translúcidos. A carnificina acontece bem ali no pátio, e os restos dos animais são atirados aos cães, que não cessam de ganir, enquanto os homens partilham conosco as conquistas e as derrotas da jornada.

O pavilhão fica numa área parcialmente coberta, e a grande mesa fica mais vistosa e abundante à medida que os pratos são trazidos da cozinha para fora, sob uma luz pálida. Delicados discos de polenta amarela são dispostos numa pirâmide curva e salpicados de ervas verdes frescas e pimenta. Enormes pratos de lagosta, camarão, mariscos, polvos e moluscos são trazidos à mesa com orgulho. O prato principal, porém, são os cervos. As pobres criaturas abatidas já foram levadas embora, e uma que estava pendurada há dias é colocada para assar numa fogueira a céu aberto. Os homens ainda se vestem, tirando suas roupas de caça.

Carina se aproxima. Ela segura uma uva polpuda e a morde. Um pequeno jato de polpa escapa e lhe escorre pelo canto da boca por um segundo, até ela se limpar.

— Me perdoe pelo modo como falei com você instantes atrás — diz ela. — Eu só estava preocupada com você.

— Eu sei. Obrigada.

— Fico tão feliz que você tenha podido vir — continua ela. — Esta deve ser a sua primeira caçada!

— É tudo tão encantador... — digo, aliviada por mudar de assunto.

— É mesmo. É muito importante que tudo saia perfeito. Esta é a primeira vez que organizo a caçada na condição de esposa de Raffaello. Veneza inteira ficará sabendo o que comemos, quem disse o quê e o que cada um de nós estava vestindo. Agora, me diga — ela continua, e receio que vá recomeçar o interrogatório sobre Giacomo —, agora que você está livre, que é uma mulher desimpedida, quais são os seus planos? Você ainda deve se sentir atordoada com o exílio de Vincenzo.

— A cada manhã, acordo e me sinto aliviada daquele peso — digo. — Mas é claro que não fico contente com o azar de ninguém, nem mesmo o de Vincenzo.

A expressão de Carina se enrijece de novo. Ela se aproxima ligeiramente, arrumando com cuidado um vaso de flores, e então inclina a cabeça para avaliar o que acaba de fazer.

— Não acho que isso tenha a ver com sorte ou azar.

Ela me lança essas palavras com um ar descompromissado e casual, mas, quando a olho nos olhos, vejo que não é nada disso. Gostaria de fazê-la voltar a seu estado de espírito normal. Seu modo de agir nesse momento me deixa tensa.

— Não sei bem se sei o que você está querendo dizer — digo baixinho.

— Não sabe?

Olho-a novamente. Suas sobrancelhas estão arqueadas.

— Venha comigo — diz ela.

Deixamos a mesa e caminhamos pelo terreno. As águas do lago têm uma tonalidade prateada e estão totalmente serenas. Carina agarra com força seu longo leque cor-de-rosa e bate com ele na palma da mão, de tempos em tempos, como um soldado com seu bastão.

— Talvez haja sorte em outros lugares do mundo — diz ela —, mas não em Veneza. Quando alguém é atingido por um grande golpe de sorte, a primeira coisa que faço é tentar descobrir como isso aconteceu. Qual foi a sucessão de eventos? A quem essa pessoa está conectada? E que atitudes contribuíram para essa suposta sorte?

Seus sapatos comprimem o gramado por onde caminhamos, e de tempos em tempos precisamos agachar para evitar os galhos das trepadeiras que pendem das laranjeiras no alto.

— Bem, no meu caso, tenho certeza de que foi a mais pura sorte.

— Ou nós somos marionetes, ou então aqueles que controlam as marionetes — diz ela. — Sempre presos a cordas. E alguém as controla sempre. É assim que Veneza funciona; é assim que as cortinas do teatro são abertas no início e fechadas no final. É assim que alguns ficam ricos e outros, pobres. É assim que as promessas são feitas, mantidas e quebradas — diz ela, sorrindo.

A caminhada nos conduz por um trajeto circular que nos traz de volta ao pavilhão. Carina passa alguns momentos dando instruções a uma garota que retira água de um poço. A seguir, abaixa o tom de voz e faz um comentário que me faz gelar a espinha:

— Eu sei, Laura. Sei das pessoas com quem você tem tido contato.

Se eu tentar negar, sei que me denunciarei. Minha respiração acelera, e sinto o vestido me apertando a cintura e o peito.

— Eu sei que a Segreta a abordou, assim como fez com Beatrice.

Paro de andar. Ela dá mais alguns passos adiante, arranca um ramo de dedaleira que encontra à frente e começa a despetalar cada um de seus sininhos, jogando-os no chão. Volta-se em minha direção, e o olhar que me lança é de seriedade.

— O que você quer dizer com isso? — pergunto.

— Ela não contou a você? Ela não faria isso, claro. Tão digna de confiança. Tão leal. Tão competente em manter suas promessas. — Ela brinca com o ramo da dedaleira como se fosse um pequeno chicote. — Mantenha distância da Segreta. Mantenha uma boa distância daquelas mulheres. Elas não são o que prometem ser. Elas se apossam dos seus segredos e lhe retribuem com favores, mas a coisa nunca acaba aí. Lembre-se de sua pobre irmã. Laura, minha intenção não é perturbar nem assustar você. Mas há coisas que você não compreende, e é melhor não se envolver com esse tipo de pessoa. As redes de controle delas estão além do seu entendimento.

Ela continua caminhando à minha frente. Suas palavras refletem de tal modo meus próprios medos em relação a Allegreza e às outras mulheres que corro atrás dela e a seguro pelo braço.

— Espere! Como você sabe que Beatrice tinha contato com elas? O que foi que ela lhe disse? — Percebo que estou tremendo. *Se Beatrice dissesse a ela, quebraria o voto de silêncio. Violaria a primeira regra da organização.*

— Mais cedo ou mais tarde, a maioria das pessoas entra em contato com elas. — Seu tom de voz é mais suave agora, e ela voltou a sorrir, mas sinto um nó no estômago. — Elas a obrigaram a usar uma daquelas máscaras? — O sorriso dela se transforma numa careta enquanto olha para o próprio pulso. — Você está me machucando.

Percebo, então, que estou enterrando minhas unhas na pele dela. Largo sua mão de imediato.

— Desculpe, eu...

Carina olha rapidamente em outra direção e eu me viro. Allegreza está em pé, a alguns passos de distância, abrigada à sombra de um loureiro. Há quanto tempo ela está parada ali? Estremeço. Sua chegada repentina tem um ar sinistro.

— Boa noite, condessa, *Signorina* Della Scalla — diz ela. Está vestida num de seus discretos tons de cinza. Desta vez, um vestido cor de estanho com um cinto prateado. Com luvas, ela entrelaça nossas mãos quando a cumprimentamos.

Uma criada está colocando um ramo de lírios de caule longo dentro de um vaso.

— Não! — grita Carina. A garota lhe dirige o olhar, espantada, os olhos arregalados. — Veja só como você está apertando as flores. Você irá destruí-las assim.

Allegreza vira a cabeça bruscamente na direção de Carina, que caminha até a mesa, onde a garota, nervosa, se mantém distante das flores.

— Eu vou lhe mostrar como se faz — Carina diz mais delicadamente —, e você nunca mais se esquecerá.

Allegreza consente com a cabeça e então se afasta.

Enquanto Carina corta os caules machucados com uma afiada faca de cozinha, tento afastar da mente uma imagem terrível: o homem de dentes dourados empurrando Beatrice no canal enquanto Allegreza os observa, nas sombras.

Capítulo 25

A MESA DIANTE DA QUAL JANTAMOS estava sedutora e farta no início da noite; agora, está repleta de sobras de comida. Olho para o meu pai e gostaria muito que ele deixasse a mesa. Está apoiado sobre um cotovelo e com o corpo caído, mas ainda entretido numa conversa perto da extremidade da mesa. Sei bem que ele nem sonha em se levantar antes que as pessoas importantes comecem a fazê-lo.

A sensação é que os eventos de uma vida inteira foram condensados nestas poucas e estranhas horas. Os sons agudos e frenéticos das cornetas de caça foram decrescendo até se transformarem num murmúrio discreto em todo o ambiente.

Nicolo, o filho mais novo do duque, sobe na mesa e começa a caminhar por entre os restos de comida, deixando um rastro de manchas de lama preta na toalha de linho. Ele tropeça e pigarreia.

— Senhoras e senhores, posso pedir um minuto de sua atenção, por gentileza?

À exceção de mim, nenhum dos comensais sequer olha para ele.

Ele retira o punhal da cintura e o atira. Ele dá piruetas no ar e termina fincado na mesa, no lugar onde Nicolo desejava. Todos param de falar e alguns convidados se mostram em estado de choque.

— Vocês vão *me dar atenção*! — ele grita.

— Desça daí! — alguém grita de volta.

— Desculpem, mas é importante — ele responde, com a voz enrolada.

— Bem, diga logo o que quer e acabe com isso — diz a voz que o contraria.

Nicolo dá um passo à frente e retira o punhal da mesa.

— Paulina di Moretti e eu vamos nos casar — ele diz.

— Ahh! — exclamam os convidados, em deleite, e Paulina dá um gritinho agudo de excitação. As mulheres deixam seus assentos e a circundam. Nicolo salta da mesa num gesto atlético e os homens o cumprimentam, dando-lhe tapinhas no ombro ou nas costas. O rosto das pessoas brilha à luz fraca das enormes velas, de início compridas como jarras de vinho e agora transformadas numa massa derretida, misturando-se à comida descartada.

— Que história foi aquela de atirar uma faca? — murmura uma mulher de azul, com voz abafada.

— Oh, é a porção animal deles — responde outra. — Eles sempre agem assim ao voltar da caçada.

De repente, reparo na expressão do rosto de Paulina, receptiva e delicada. Nossos olhares se cruzam e eu sorrio, articulando com os lábios a palavra "parabéns" para ela, do outro lado da sala. Ela me assopra um beijo como resposta.

Percebo que Allegreza também está olhando para Paulina. Com um sobressalto, me dou conta da impressão que minha amiga deve passar a ela: jovem, sim, mas comprometida com o filho do duque, também poderoso. Sua expressão pensativa forma rugas em sua testa delicada.

Os olhos de Allegreza se viram e sigo a direção de seu olhar. Ela mira Carina e o conde fixamente. Raffaello afasta um cacho do cabelo de sua esposa e acaricia o rosto dela com o dedo. É um gesto simples e carinhoso e também um sinal de que nem todo relacionamento em Veneza é motivado por alguma necessidade ou ambição. Sinto ternura pelos dois. O alerta dado por Carina é fruto de sua preocupação, nada mais. Não há nenhum rancor ou malícia nas palavras dela.

Raffaello se inclina para beijá-la no pescoço. A seguir, seus olhos parecem se fixar num ponto distante, seu corpo se projeta para a frente e ele cai com o rosto entre os seios de Carina.

Um jovem dá tapinhas no espaldar da cadeira de Raffaello:

— Você não tem passado tempo suficiente na cama, Raffaello... esse é o problema! — ele ri.

— Ele está procurando algum objeto perdido! — grita outro, erguendo a taça em sinal de brinde a seu próprio comentário. Gritos de júbilo ecoam pela sala. O rosto do conde continua afundado nos seios de Carina.

Ela diz:

— Raffaello, já chega!

A brincadeira perdeu a graça. Raffaello aparenta estar embriagado, não num abraço amoroso. Carina tenta retirá-lo de cima dela. Ele está totalmente imóvel.

Ela sacode o marido, a princípio com delicadeza, a seguir de um modo firme e então freneticamente.

— Raffaello! O que aconteceu? — ela choraminga. Ela lança o olhar para os demais à mesa. — Por que ele não se mexe?

Num movimento estranho e lento, Raffaello escorrega até o chão como um boneco cujas cordas foram cortadas. Há um arrastar de cadeiras e algumas delas caem quando as pessoas se levantam. Corro para perto deles também. Raffaello está deitado no chão, olhos arregalados de uma maneira terrível, mirando fixamente o vazio.

— Afastem-se. Por favor, deem espaço para ele respirar —, implora Carina. Mas espaço nenhum fará diferença agora. Um homem coloca os dedos na garganta de Raffaello e anuncia, com ar de espanto, que ele está morto. Sinto vontade de me aproximar de Carina e confortá-la, mas tudo o que consigo fazer é ficar parada em pé, tão terrível é o sentimento que me invade. Um jovem não morre simplesmente assim, nos braços da esposa, numa festa. Não sei o que aconteceu, mas tenho certeza de que a morte de Raffaello não foi natural.

Carina se ajoelha ao lado dele. Ela olha ao redor, mas acho que não deve enxergar muita coisa. Seus olhos verde-azulados parecem cobertos por uma camada de verniz. Estende os braços como uma cega implorando esmolas.

Há um zunido em meus ouvidos. As pessoas estão de boca aberta, os rostos contorcidos como gárgulas. Outros estão tão bêbados que mal se lembrarão dessa cena amanhã, ou então se perguntarão se não passou de um sonho nebuloso, até que alguém, sóbrio, lhes diga que foi verdade. O cair da noite parece ter sido acelerado de modo assustador.

Olho de relance para o lugar onde Allegreza estava sentada, mas ela desapareceu.

O pavilhão, que antes tinha ares de palácio, agora parece uma gaiola. Preciso fazer alguma coisa. A culpa disso tudo é minha. Tenho certeza de que Allegreza e a Segreta assassinaram Raffaello. Raffaello, com todo o poder que exerce no Grande Conselho — esse poder masculino do qual falavam as invejosas e desvairadas mulheres da Segreta. Hoje mesmo eu o vi saindo a galope e depois o vimos chegar, invencível e triunfante e certamente imune a qualquer fraqueza ou doença. Agora ficou claro para mim o significado cruel e terrível dessa situação. Ao tentar me alertar, Carina maldisse a Sociedade na frente de Allegreza. Ainda sou capaz de vê-las, rostos imóveis, mascarados e cintilando à luz das velas, dizendo o quanto elas reprovavam a ascensão do status dos homens, o poder exercido pelos homens e a vaidade da ambição masculina.

Enquanto o cadáver é carregado para fora do salão, abro caminho para chegar até Carina.

— Afastem-se, por favor. A condessa precisa de espaço. — Inacreditavelmente, a turba me obedece. — Carina, venha comigo — digo.

Ela me segura na mão com os dedos quentes. Vejo um entrelaçado de pequeninas veias no branco de seus olhos. Seu rosto está banhado de lágrimas, e, ao lembrar que em parte sou responsável por sua terrível situação de apuros, aperto sua mão com mais força.

— Venha por aqui — repito.

É como se eu a estivesse conduzindo por uma floresta escura. A expressão de alguns revela malícia e intromissão. Embora algumas pessoas sejam simpáticas, todas sentem a necessidade de identificar no rosto dela os sinais da tragédia. Juntam-se em torno da cena dramática como se alguém estivesse atirando moedas de ouro.

Meu pai se senta no centro de um grupo de homens. Eles têm as costas arqueadas feito urubus, já absortos na discussão do possível significado desse episódio no que se refere à redistribuição de poder.

Conduzo minha amiga a uma sala onde há uma única vela acesa e a ajudo a se sentar no sofá. Carina, normalmente muito segura de si, começa a soluçar.

— Deve ter sido algum problema no coração. Os médicos estão por perto? Preciso vê-lo de novo. Me leve de volta até ele.

Ela tenta se desvencilhar, mas eu a seguro com firmeza. Por um instante, vejo-me tentando deter os braços do duque naquela cena no convento. A boca de Carina se abre, de modo contorcido, parecida com ele naquele dia, e ela eleva as mãos ao alto, curvando os belos dedos na forma de garras. Consigo persuadi-la de que ela não quer, realmente, voltar. Convenço-a de que precisa se deitar e solto o corpete de seu vestido.

Sinto que alguém está parado a meu lado.

— Você tem um leque? — pergunto.

A pessoa me passa um leque preto com uma estampa de rosas douradas.

Fico rapidamente em pé e faço uma mesura.

— Oh, duquesa, me perdoe!

— Continue o que você estava fazendo — diz ela, erguendo a mão. — Por favor, não peça desculpas, não há por quê.

Pego o leque e começo a abanar lentamente o rosto de Carina.

— Talvez ela queira beber algo? — sussurra a duquesa.

Vêm à tona as lembranças da enfermaria do convento, com as garrafas e jarros nas prateleiras.

— Que tal graspa? — sugiro. — Ouvi dizer que é ótima para situações de choque.

— É muito boa — responde a duquesa, que caminha até a porta para chamar alguém.

Ao voltar, ela traz uma chave numa mão e uma pequena xícara na outra. Juntas, ajudamos Carina a se levantar. Ela dá um gole, e então pegamos um cobertor que cobre uma cadeira e o colocamos sobre ela.

— Pedi aos convidados que fossem embora — a duquesa me tranquiliza.

Acaricio a cabeça da pobre Carina. Sua expressão é agora mais serena, um olhar vazio, sem esperança. Qualquer coisa que eu diga neste momento parecerá vulgar. Não posso imaginar que a perda de minha irmã se compare a isso, já que nunca conheci o amor de uma esposa pelo marido. Mas, quando meu sangue esfria, começo a ter pensamentos mais sombrios. Lembro-me de Allegreza parada em pé, imóvel, como uma estátua de jardim sob uma árvore, observando-nos com olhos velados. Lembro-me do alerta dado por Carina sobre "aquelas mulheres". Pouco a pouco, os fios soltos vão se juntando, e mais do que nunca tenho medo de pensar na rede que eles estão formando. Uma vez mais, minha respiração se acelera.

— Você está bem? — pergunta a duquesa.

Ela é prima de Allegreza. Mesmo que eu fosse capaz de lhe fazer um relato coerente em relação às minhas suspeitas, isso não faria sentido. Na pior das hipóteses, seria uma tolice. Os tentáculos da Segreta estão em toda parte.

— Sim, foi só o choque — minto.

Em instantes, os olhos de Carina se fecham e, milagrosamente, acho que ela está adormecida; sua explosão de pesar parece ter tido a duração de uma repentina chuva de verão. A seguir, a duquesa e eu conversamos em sussurros. Digo a ela que faz pouco tempo que abandonei o convento, mas claro que ela já sabe disso.

— Você sabe que a abadessa é minha amiga. — Ela se inclina perto de mim e abaixa a voz, embora não haja mais ninguém ao redor além de Carina.

Desvio o olhar.

— Talvez seja melhor não fazer perguntas à abadessa a meu respeito. Eu não era exatamente a noviça predileta dela.

A duquesa ri.

— Oh, eu não presto muita atenção ao que a abadessa diz. Seja como for, para ser completamente honesta com você, já que somos amigas, para mim ela sempre foi uma megera enrugada e assexuada. Seca como uma uva passa. Acho que você está destinada a desfrutar de muito mais do que o mundinho controlado por ela.

Conversamos como se fôssemos velhas amigas. De repente, me esqueço de que estou falando com a esposa de um duque. Por um breve instante, ao menos, o domínio exercido pela Segreta não me parece completo e, pelo menos uma vez na vida, meu pai ficará muito satisfeito.

Capítulo 26

FAUSTINA NÃO PARECE MUITO satisfeita com meu novo amigo: um gato da vizinhança, de hábitos noturnos, a quem batizei com o nome de Nero, devido à sua postura imperial. Ela está sempre enxotando-o da cozinha. Mas os pelos dele são macios, ele me traz conforto e se aninha em meu vestido com uma familiaridade desconcertante e arrogante. Sento na sala com o gato enrolado sobre o colo, recordando os fatos recentes.

O funeral de Raffaello veio e se foi. Correu a notícia de que a cerimônia seria reservada apenas para os familiares mais próximos. Por mais que eu queira pensar em outra coisa, os eventos daquela noite me vêm à mente. O olhar estranho e vazio que se abateu sobre o rosto de Raffaello. Os cheiros e os ruídos depois da caça, a delicada postura da duquesa e minha surpresa com nosso diálogo tranquilo. Conversamos como irmãs que falam entre si, ou talvez como mãe e filha. Acaricio as costas de Nero. Nesse instante, alguém dá fortes pancadas na porta.

— Entre, pai — eu suspiro.

— Como você sabia que era eu? — ele pergunta, adentrando o meu quarto.

— É o meu sexto sentido.

Sua expressão é sombria e ele aparenta estar à beira de um ataque de nervos.

— Tenho uma *novidade* para você — diz ele. Fico tensa e Nero levanta a cabeça, sonolento.

— O que é?

Ele retira um pergaminho do bolso da jaqueta.

— Uma carta sobre você — diz.

Várias hipóteses me ocorrem; a mais assustadora delas é que não fui cuidadosa o bastante no que diz respeito à Segreta. Talvez alguém tenha descoberto nossos encontros à meia-noite. Melhor nem pensar nas consequências disso.

— Ah, é? — consigo dizer.

De repente, surge um sorriso em seu rosto.

— Minha querida — diz ele, num tom afetado —, é uma carta da esposa do duque. Da própria duquesa. Você consegue acreditar?

Ele joga o pergaminho sobre a cama. O gato pula de meu colo e sai correndo.

Prezado Antonio,

Você me daria uma imensa honra se permitisse que a residência do duque abrigasse um quadro com a imagem de sua filha. Desde os trágicos eventos na residência do conde Raffaello, tenho pensado muito nela e, em sinal de reconhecimento à generosidade por ela demonstrada naquela noite, eu gostaria de encomendar um quadro a um artista de minha escolha. Tenho a firme esperança de que minha oferta será aceita.

Atenciosamente,

Besina

— Você compreende o significado disso? — Meu pai dança pela sala como se fosse uma criancinha. — Ela enviará um artista a mando do próprio duque. Ele pintará você sob uma luz perfeita e colocará o quadro no corredor do palácio! Os governantes do continente e seus filhos olharão para seu rosto e farão perguntas a seu respeito! Muito em breve, encontraremos um par para você e, minha querida... você não consegue perceber? A família será salva!

Não consigo encontrar as palavras exatas.

— Achei que o duque não se preocupasse mais com os Della Scala — digo. — O senhor disse que deveríamos ter, no mínimo, dois ou três minutos de contato com ele.

Meu pai abre um sorriso e me aponta o dedo em riste.

— Não dê uma de esperta comigo, minha garota — diz. Junta as mãos diante do peito e deixa a sala, murmurando: — Tudo ficará bem!

A certeza dele coloca um grande peso sobre mim, mas de algum modo faz também com que me sinta feliz e, de certo modo, poderosa. Que estranha mistura de coisas tenho sentido desde que deixei o convento...! Uma mistura de medo, excitação, desespero e felicidade. Quem dera eu pudesse separar cada um deles e sentir um de cada vez, mas isso não me parece mais possível.

Durante duas noites, durmo com folhas de lavanda e tomilho sob o travesseiro, e esta combinação de aromas permanece em meus sonhos. Vejo um quadro com minha imagem nos corredores do palácio do duque. O mesmo quadro cai em águas escuras e assoma por trás da cabeça da abadessa, enquanto ela alisa o marcador de livros de sua Bíblia como costumava fazer. E, no sonho, o quadro se altera. Primeiro, estou vestindo meu hábito marrom de noviça; a seguir, o resplandecente vestido vermelho-líquido que me deixou deslumbrada quando eu o usei. Por fim, ele se transforma nas roupas molhadas que minha irmã vestia na noite em que se afogou. Em meu rosto, a máscara com penas de cisne.

Acordo suando. Beatrice também sabia da Segreta. Segundo Carina, ela confiava na Sociedade, e veja só o destino que ela teve. Imagino o quanto ela deve ter se enredado nessa trama.

De manhã, estou prestes a posar para meu retrato. Faustina caminha agitada em meu quarto e me diz que Bianca está preparando um café da manhã especial, "para você ficar com uma cara boa". O retrato será completado aqui, no salão dos fundos, onde a luz incide melhor.

Terminado meu banho, Faustina me traz um dos vestidos de minha mãe.

— Seu pai pediu que você usasse isto — diz ela. Um finíssimo vestido de seda rosa pálido, com brilho de pérolas, um aplique de veludo branco no corpete e fios de um rosa mais escuro que pendem da cintura. Se não me engano, ela já o usou. Lembranças dessa cor e tonalidade se misturam em minha mente com o som do canto de minha mãe.

— O pintor já está pronto, no salão — diz Bianca, espiando dentro do quarto. Ela enrubesce ligeiramente, o que acho estranho para uma garota destemida como ela.

Faustina alisa meu cabelo, sorrindo orgulhosa.

— Venha, Laura. Fiquei encarregada de assistir à sessão de pintura.

Ela fala como se se tratasse de um convite para o casamento de um membro da realeza. A empolgação dela me comove, mas não consigo imaginar qual é o grande interesse que esse evento pode ter. Pelo menos, com a presença de Faustina, terei a garantia de que não morrerei de tédio, sentada imóvel durante horas.

Faustina me conduz escada abaixo, segurando com cuidado a barra de meu vestido para não tocar o chão enquanto caminho. Ela abre a porta do salão e me acompanha até o interior.

O pintor está parado na outra extremidade da sala, de costas para nós — e eu já me dei conta. Pela curva de suas costas, pelo modo como seus pés estão plantados no solo e o modo como suas mãos descansam nos quadris, sei que é ele. Não preciso sequer ver seu rosto.

É ele.

E, de repente, torço para que os cuidados de Bianca e Faustina tenham, realmente, me dado a mais linda aparência que eu poderia ter.

Capítulo 27

Giacomo se vira, e por um instante suas sobrancelhas desaparecem sob os cachos da franja. Ele derruba um jarro de água no chão, mas mal percebe.

— O início não foi dos melhores, não é mesmo? — Faustina diz, em tom de reprimenda. — Estávamos esperando um pintor, não um vândalo. — Porém, enquanto ela se apressa para recolher os cacos de vidro, noto os olhos dela brilhando, visivelmente encantada com esse homem lindo.

— Por favor, não tenha nenhum incômodo por causa do meu jeito desastrado — diz Giacomo. — Deixe que eu limpo tudo.

Novamente, ele veste aquela camisa branca larga. No pescoço, um pingente de prata, e a pele sob a camisa tem tom de oliva e é perfeitamente lisa, como madeira polida. Ele me olha fixamente e sorri; espero que Faustina não tenha me visto corar.

— Eu vou ficar sentada aqui no canto — diz ela. — Não se incomodem comigo.

Ela leva sua cesta de bordado até a cadeira e começa a trabalhar. Com estardalhaço, ela se acomoda e começa a cantarolar uma música. É incrível como minha gentil e velha ama foi capaz de se transformar tão rapidamente numa intrusa ruidosa! Tudo o que eu queria, agora, era poder conversar com ele.

— Minhas saudações, *Signorina* Della Scala — diz Giacomo.

Soaria banal para mim ouvir alguém pronunciando meu nome, mas ouvi-lo da boca dele me deixa encantada.

— Você não gostaria de sentar? — ele pergunta, apontando para uma cadeira perto da janela. Faço isso e ele dá a volta, fazendo um círculo a meu redor.

— Você se importa? — diz ele, tocando meus ombros de leve e virando-os ligeiramente.

Enquanto ele caminha na direção do cavalete, meu pai entra.

— Ah, sim, excelente! — diz ele, juntando as mãos. — Meu rapaz, posso lhe falar um instante?

Com cuidado, Giacomo coloca o lápis de carvão de lado e meu pai o conduz para um canto. Ouço murmúrios, e então ele dá algumas moedas a Giacomo.

— *Signor*, não é necessário — diz Giacomo. — A encomenda já está paga.

— Por favor — diz meu pai. — Quero que você dê o melhor de si. E receberá a mesma quantia novamente quando o trabalho tiver sido entregue.

Giacomo cora e coloca as moedas no bolso. Quando meu pai deixa a sala, o pintor traz o cavalete para perto de si, de modo que ficamos a poucos passos um do outro. Giacomo, com os olhos saltando de mim para a tela, começa a trabalhar. Não sei bem para onde devo olhar, então abaixo os olhos.

— Olhe para a frente, por favor — diz ele, em tom profissional, sério. — Não posso pintar os seus olhos se não puder vê-los.

Eu o encaro, sorrindo.

— E nada de sorrir — acrescenta ele, esboçando um sorriso no canto dos lábios.

Meu sorriso se alarga ainda mais, e então me recomponho. Pergunto-me se estou autorizada a falar. Provavelmente não. Faustina não está mais cantarolando. À exceção das pinceladas de seu esboço, o silêncio é hipnótico. Embora pareça que estou simplesmente sentada ali, com o rosto inclinado na direção do sol, também estou capturando a imagem dele. Aproveito a oportunidade para observá-lo sem constrangimento. Vejo que seu nariz é delicado e levemente empinado; seu maxilar é ligeiramente sombreado por uma barba bem aparada. Ele mordisca o lábio inferior, e as rugas de seus olhos ficam mais salientes à medida que se concentra.

O silêncio é rompido por uma respiração ruidosa. É Faustina, que ronca suavemente na cadeira com uma grande almofada, seu bordado largado preguiçosamente no colo.

A expressão dele fica mais suave.

— Como você está, Laura? — ele sussurra, e em seus lábios meu nome de batismo soa quase perigoso. — Eu estava preocupado, sobretudo depois da terrível notícia sobre o conde. A sua amiga deve estar bastante abalada.

— Foi uma noite terrível — digo.

Ele apanha um pote de tinta e, com uma pequena espátula, coloca um pouco dela sobre a paleta que segura na mão.

— Esse é o seu azul secreto? — pergunto.

— Não. Estou tentando uma mistura totalmente nova, uma cor que ninguém tentou antes. Mas receio, minha senhora, que não conseguirei.

— Por quê?

— Porque estou buscando um modo de retratar os seus olhos e estou desesperado.

Sinto um arrepio, uma espécie de mistura de prazer e pânico. Se viesse de outra pessoa, esse charme jogado em mim me faria revirar os olhos, mas seu olhar perturbado me desconcerta, e eu rio. Ele dá uma volta ao redor do cavalete, me segura pelo queixo e levanta um pouquinho meu rosto. Fecho os olhos. Mantenho-os fechados por um breve instante.

— Assim. Assim está bom.

Quando reabro os olhos, ele está caminhando de volta para o cavalete e dizendo:

— Sabe, se continuarmos calados o dia todo, as horas passarão muito lentamente.

Faustina suspira e se mexe em seu sono.

— Eu não tinha certeza se tinha permissão para falar.

Ele pega a paleta.

— Há artistas que são assim, mas eu não — diz ele. — Gosto de saber mais sobre a pessoa que estou retratando.

— Você terminou os desenhos da caçada? — pergunto.

— Alguns, sim. Mas são só esboços. Ouvi dizer que você cuidou de sua amiga.

Como ele poderia saber disso? Imagino que os criados falem e façam tanta fofoca quanto seus senhores, se é que não fazem mais.

— Parece tão estranho que o pobre Raffaello estivesse tão cheio de vida num momento e, no próximo... tenha ido embora — digo.

— Parece que em Veneza a morte nunca é natural. Pelo menos, não nos casos de que ouvi falar.

— Você não acha que foi uma morte natural? — pergunto. — Dizem que ele não estava bem do coração.

Giacomo balança a cabeça.

— Não me pareceu ser o caso.

A certeza dele, que sintoniza com minhas piores suspeitas, me deixa um pouco irritada. Como é que um pintor pode saber o que aconteceu?

— Você mostra uma grande convicção em suas opiniões — digo, de maneira mais ríspida do que pretendia. Ele parece não perceber.

— Na sociedade veneziana, todos fazem parte de algum tipo de plano ou trama. Se tiver sorte, você pode se desvencilhar dela. Se não, acaba tendo o mesmo destino de Raffaello.

Seu modo direto e firme de falar do marido de Carina não me deixa menos irritada. Faustina provavelmente adoraria ver a cor de minhas bochechas se estivesse acordada.

— Você acha que foi culpa *dele* ter sido assassinado?

Giacomo me olha, preocupado.

— Provavelmente não. Queixo para cima, por favor.

Imagino que ele esteja dizendo isso apenas para trazer a conversa para um terreno mais seguro, mas meu pensamento se volta de novo à minha irmã. Ela *não fazia* parte de esquema algum, estou certa disso. Minha adorada e inocente Beatrice, não.

— Eu a perturbei — diz ele. — Falei quando não devia. Aceite meu pedido de desculpas.

— Bobagem — respondo. — Por favor, me conte mais sobre a vida de um pintor.

— Acho que isso a entediaria.

— Deve ser mais interessante do que a vida de uma mulher solteira — respondo.

— Acredito, então, que a sua vida não será entediante por muito mais tempo. Os seus pretendentes farão fila daqui até o porto.

— Você tem tanta habilidade com o pincel assim?

Seus olhos parecem ternos quando ele olha para mim.

— Não preciso ter — diz.

De repente, Faustina se senta.

— Sim, sim, Antonio... — ela diz, confusa. Quando recobra os sentidos, concentra o olhar em nós. — Está bom. De volta ao trabalho. — Os olhos dela voltam a se fechar e seu peito rechonchudo estufa e se esvazia.

— Onde você mora? — pergunto a ele.

— Às vezes, divido o aposento com um dos cavalariços, no palácio do duque. Mas eu alugo um pequeno ateliê perto do Lido. Mathieu é quem cuida dele. O lugar às vezes é barulhento, mas as pessoas dali são como uma família para mim. Tenho certeza de que você também gostaria delas.

— Parece maravilhoso. Conte-me sobre os seus amigos. Eles trabalham em quê?

— São atores, pintores, poetas. Também conheço dois que são matemáticos, mas eles não são tão divertidos quanto os outros.

— Tenho certeza de que são mais estimulantes do que os comerciantes — digo. — Aos amigos do meu pai as únicas coisas que realmente importam são as rotas de comércio e os ventos favoráveis.

Ele ri enquanto mistura tons de tinta e retira um pincel de uma vasilha de água.

— Eu adoro a Veneza que você descreve — digo. — A Veneza que conheço se resume a dinheiro, poder e conforto para o corpo. Que eu saiba, nunca tem nada relacionado à beleza ou à alma.

— Se esta é a minha Veneza, então também pode ser a sua.

Por um instante sublime e maravilhoso, penso que ele pode ter razão.

— E de onde você conhece o duque? — pergunto. — Deve ser uma responsabilidade e tanto pintar tetos para o homem mais poderoso de Veneza.

— E é mesmo — ele diz, sem tirar os olhos da tela. — Sobre como eu o conheci, eu falsifiquei uma carta de recomendação.

Fico chocada.

— Você fez isso?

— Estou brincando. Na verdade, acabo de receber mais uma grande encomenda e estou louco para compartilhar a notícia com alguém. O duque quer que eu pinte um afresco dentro de São Marcos.

— Na *catedral*?

— Sim. Isso me parece uma responsabilidade enorme.

— Para mim, São Marcos é a construção mais linda de toda Veneza.

Ele sorri.

— Eu também acho. A encomenda é para pintar na capela, onde o filho dele foi sepultado.

Tenho um sobressalto ao me lembrar dos dois túmulos dispostos silenciosamente lado a lado. Ainda bem que ele mantém o foco em sua paleta, acrescentando a ela um pigmento amarelo.

O rosto dele parece mostrar uma sombra de preocupação.

— Não posso contar isso a ninguém. É um grande segredo.

— Arrá! — dou risada. — Então você também tem um segredo, como todos em Veneza!

Ele não ri. Nem sequer sorri.

— Você pode confiar em mim — digo. Mas um arrepio me percorre o corpo ao lembrar da última vez em que pronunciei essas palavras.

Ele trabalha em silêncio enquanto tento pensar em algo para dizer que traga de volta a sensação de estarmos à vontade um com o outro. Fico aliviada quando, por fim, ele balança a cabeça em minha direção, fingindo me dar uma bronca.

— Pare de se mexer desse jeito — ele diz, com um sorriso. — Se não ficar parada, não consigo pintar.

— Desculpe.

Nesse tempo todo, sinto meu coração batendo mais forte, como se estivesse tentando escapar do corpo. Tomara que ele não perceba. Seria difícil explicar o porquê disso.

Não faço ideia de quanto tempo passou, mas o sol já mudou de posição e já deve ser tarde. Faustina acorda, arquejando. Ela se senta como uma marionete cujas cordas foram puxadas. Parece confusa.

— Quanto tempo eu dormi? — pergunta, sonolenta, e digo que provavelmente foram horas. Ela fica horrorizada e me dá uma bronca por não tê-la despertado antes. Então, sai para encontrar Bianca.

Giacomo começa a recolher o material de pintura. Limpa o pincel e o envolve num pano cinza. Coloca as tampas nos potes de tinta e então os recoloca na cesta.

— Terminou? — pergunto.

— Você é uma cliente que demanda muito trabalho — ele ri. — Não consegui capturar a imagem de seu rosto numa única sessão.

— Isso quer dizer que você vai voltar.

— Isso mesmo — diz ele. — Você se incomoda?

Balanço a cabeça. Eu não me incomodaria se ele tivesse de voltar mais cem vezes, e outras cem depois disso. Tento não sorrir, mas parece que não tenho controle sobre minha expressão facial.

— Posso ver? — pergunto.

— Só quando eu terminar. Senão, dá azar.

— Não sou supersticiosa. Por favor...?

Ele limpa as mãos num pano manchado de tinta.

— Se você quer ver, não acho que eu ou qualquer outra pessoa possa impedir. Bom, acho melhor eu me lavar. — Ele pede licença e sai da sala, fechando a porta.

Fico parada em pé, rígida. O lado de trás da tela me atrai como uma mão poderosa, de modo que não consigo resistir. Crio coragem e dou a volta.

Com a pele rosada e pálida, pareço transparente, como um fantasma ou uma sombra que passa pela janela. Mas o retrato começa a ganhar forma, e uma imagem começa a surgir. Na tela de Giacomo, pareço forte e aprumada.

Na mesinha de centro ao lado do cavalete há uma grande bolsa preta, de couro, aberta na frente. Dá para ver, no interior, pilhas de papéis e esboços de outros desenhos. Algo me atrai e me atiça a curiosidade de espiar, embora isso seja invasivo. Com cuidado, retiro alguns deles e começo a folheá-los. Cada um dos desenhos revela a marca de seu talento. Os arcos das igrejas perfeitamente executados, os contornos das frutas e objetos de cerâmica, as formas dos rostos, corpos, braços e pernas.

Três folhas me escapam da mão, caindo no chão. Eu me abaixo rapidamente para pegá-las, erguendo o vestido rosa de minha mãe. Olho para o primeiro. É o esboço de um corpo feminino: um detalhe, retratando-a do queixo até a cintura. Ela está deitada num sofá com um dos braços sobre a cabeça. Usa um vestido de camponesa e na gravura há um quê de intimidade. Quem é essa garota para ele? O que ele representa para ela? A modéstia que aprendi a ter no convento me faz corar, embora não haja ninguém na sala para testemunhar meu pudor.

A segunda gravura mostra a mesma modelo, mas nesta ela está apoiada numa escrivaninha, empunhando uma pena enquanto escreve uma carta. Seus longos cabelos castanhos lhe cobrem o rosto, mas há algo de familiar na pose dela. Lembra a mim mesma no convento, na época em que eu escrevia cartas a Beatrice.

Ouço os passos de Giacomo, arrastados suavemente no piso de mármore. Ele assobia contente. Sou tomada pelo pânico. O que ele pensará quando me vir agachada no chão, vasculhando suas gravuras? Eu jamais deveria ter olhado! Recolho as folhas de pergaminho, mas, enquanto eu as recoloco na bolsa, Giacomo entra na sala. Não consigo parar de tremer. Estou prestes a ensaiar um pedido de desculpas quando uma terceira gravura me escorrega da mão, caindo no chão. Nela, a mesma garota, só que desta vez ela me encara com ar desafiador.

Deixo escapar um pequeno gemido, constrangida.

— Qual é o problema? — pergunta ele. Seu sorriso desaparece.

Estendo a ele a gravura com a mão trêmula. Quero que ele a pegue, mas não consigo largá-la.

É um retrato de Beatrice.

Capítulo 28

Lentamente, coloco a gravura na mesinha entre nós dois e dou um passo para trás. Seguro firme nas laterais do vestido, apertando-as nas mãos.

— Por que é que você tem retratos da minha irmã em seu portfólio?

— Eu posso explicar...

— O corpete dela está aberto!

A verdade me atinge como um raio. Tenho certeza de que foi ele. Giacomo é o homem que minha irmã foi encontrar na noite em que morreu. As gravuras, carregadas de sensualidade e desejo, não deixam dúvida. Giacomo e Beatrice eram amantes.

Recuo mais dois passos, aproximando-me da porta.

— Laura, me desculpe por não ter lhe dito.

— Dito o quê? — Minha voz sai aguda.

— Que eu conhecia a sua irmã.

— Que motivo poderia haver para você não me dizer uma coisa importante como essa? — digo entredentes. — Por que você manteria isso em segredo? Por que alguém faria isso? Só se tivesse algo a esconder!

— Não foi bem assim.

— Assim como?

Ele olha para o chão, tenso. Ele estava apenas brincando comigo com seus olhares prolongados e as coisas encantadoras que disse?

— Laura, por favor...

— Ah, sim, claro. A pequena Laura, recém-saída do convento e ingênua em relação a tudo. É isso que as pessoas pensam. Bem, eu não sou idiota. Meu pai é que tinha razão: não existem amigos em Veneza.

— Não diga isso. Não é verdade. — Ele se aproxima de mim e tenta me segurar pela mão.

Recolho os dedos e saio correndo da sala, através da antessala e pelo portão da frente. Continuo correndo ao longo da margem do canal de águas negras e brilhantes. O vento ganha força e começa a chover. Os pingos de chuva me caem sobre a pele como pequeninas facas.

Percorro a pé o caminho todo, na direção de São Marcos, atravessando a Rialto e outras pontes pequenas, passando por vielas estreitas. Entro correndo na catedral. Não sei por que fui atraída para cá. Ajoelho-me no banco da igreja e coloco o rosto entre as mãos. Gotas de chuva escorrem de meus cabelos, formando uma pequena poça no chão. Diante de mim, a imagem do corpo de Jesus, quebrado, ferido e ensanguentado.

Meu Deus, por favor, me mostre alguém em quem eu possa confiar.

Sinto vergonha ao constatar o quanto me iludi: achei que havia me transformado numa dama sofisticada da cidade.

Duas fileiras à frente de mim, um pobre homem curvado mexe nas contas de seu rosário. Uma mulher acende velas na capela de Nossa Senhora. As sombras de duas pessoas passam por ali, parando nas estações da cruz. Ninguém chega perto de mim. Pareço a Lunática do convento, que costumava balançar para a frente e para trás, sozinha em seu quartinho.

Continuo de joelhos, rezando preces desconexas, até que, por fim, minha pele começa a registrar a sensação das roupas úmidas e frias, e tremo. Não sei se Deus atenderá às minhas súplicas, mas estar aqui, na escuridão, me conforta. Respiro fundo e percebo que talvez tenha encontrado algum tipo de serenidade.

Levanto-me, apoiando-me no banco diante de mim. Enxugo o rosto com um lenço que encontrei no bolso do vestido de minha mãe. Inspiro profundamente, na expectativa de encontrar um resto do cheiro dela, mas não há vestígios de Gabriela della Scala nesse pedacinho de pano.

No momento em que me apronto para sair à rua, a porta da catedral se abre e uma mulher de capuz preto entra. Ela se mantém ereta, cabeça erguida, e carrega um buquê de flores com a ternura de quem carrega um bebê. Ela faz a genuflexão em frente ao altar e então caminha até os túmulos de Carlo e Roberto. Parece ter decorrido uma vida inteira desde a última vez em que Paulina e eu estivemos ali, conversando sobre a história das famílias em litígio e de seu trágico fim. A mulher se ajoelha diante do túmulo de Carlo e tira o capuz, revelando mechas de cabelos prateados.

É Grazia — mãe de Carlo e Carina.

Há algo de hipnótico em seu modo de polir as bordas douradas do túmulo de seu filho e de dispor o grande buquê de rosas em sua base. Ela se ajoelha, mãos unidas e cabeça inclinada. Não acho correto ficar aqui, observando sua manifestação de luto. Preciso ir embora.

Mas a porta se abre novamente. Uma mulher entra apressada, sacudindo a água de sua longa capa amarela. Meu peito se enche de raiva: é a prostituta que usava o anel de minha irmã. Seus olhos castanhos percorrem a catedral e então encontram Grazia. Ela se move na direção de Grazia.

Eu a sigo e me mantenho escondida por detrás dos pilares. Pergunto-me se Grazia corre algum perigo. A prostituta se agacha e se ajoelha ao lado da mãe de Carina, tão perto dela que seus ombros quase se tocam.

Grazia se vira na direção da mulher e, a julgar por seus movimentos lentos, fica claro que ela não está alarmada. Ela toca nos ombros da mulher e a beija nas duas faces. Elas se conhecem. Mas o que essa mulher de má reputação representa para Grazia de Ferrara? A mãe de Carina coloca a mão por dentro do manto negro e retira uma bolsinha com barbantes. A prostituta a pega com a mão na qual usa o anel de minha irmã: vejo-o brilhar à luz das velas.

Estou mais próxima, agora, da compreensão de uma situação sombria. Deus me conduziu à verdade. Portanto, tudo o que me resta a fazer é estender a mão e apanhá-la. Grazia é membro da Segreta; o anel de Beatrice está em poder dessa mulher. Agora sei que estou diante da assassina de Beatrice. Ou, pelo menos, de uma delas. Poderia haver melhor intermediário, ao contratar um assassino, do que uma mulher das ruas? Ela será a única que remunera a mulher por seus serviços macabros, ou esse dinheiro será o pagamento de algum outro ato vil que ela terá praticado para a Irmandade?

Sem fazer nenhuma prece, a prostituta se levanta e rapidamente deixa a catedral por uma porta lateral. Saio correndo atrás dela.

A chuva parou, mas ainda há enormes poças d'água no chão. Comerciantes, mendigos e nobres se ocupam com seus negócios, e alguns lançam um olhar em minha direção quando passo correndo. Alcanço a mulher quando ela está praticamente no centro da Praça São Marcos, agarro seu ombro e viro-a de frente para mim. Lembro-me de como ela se debateu, da última vez, e seguro-a agora firmemente pelos braços.

Ela sacode os ombros e o corpo para se desvencilhar.

— Tire as mãos de mim! — diz.

— Quem é você? — pergunto. — O que você fez à minha irmã?

Ela tenta soltar o braço, mas torço seu pulso com uma força que eu ignorava. Sua respiração é entrecortada.

— Meu nome é Bella Donna, e não sei nada sobre sua irmã. Juro.

— Então me diga por que você está usando o anel dela! — digo entre dentes, apertando a mão dela entre nós duas.

Um raio de luz do sol irrompeu em meio às nuvens sobre a praça, e as largas poças brilham no chão. Pela praça se elevam camadas finas de vapor. Um velho nos observa de uma varanda de onde respinga água.

— Como é que você ousa? — diz a mulher, estridente.

— Me diga!

Ela para de se debater, mas seu olhar queima como fogo.

— Ganhei este anel de presente. Agora, pode me deixar ir embora?

Seu tom de voz foi tão direto que solto sua mão. Ela sai correndo entre duas barracas cobertas. Corro atrás dela pela rua, espirrando água das poças, e por uma ponte de madeira. Ela passa com velocidade e dá um encontrão em duas mulheres, que franzem a testa, perplexas, e estalam a língua em sinal de reprimenda.

— Olhe por onde anda! — diz uma delas, mas acho que não foi ouvida.

Não consigo acompanhar o ritmo dela. Quando dobro a esquina seguinte, o caminho se divide em três. Sigo por uma das ruas, mas fica claro que ou peguei o caminho errado ou então ela é mais rápida do que o vento.

Pelo menos, sei agora quem está por trás da morte de Beatrice. E acabo de perdê-la de vista.

Capítulo 29

No trajeto de volta para casa, deparo com uma pequena praça que não tinha visto antes. Está vazia. As janelas dos edifícios que avultam em cada um dos lados estão fechadas, e um silêncio inesperado contribui para eu desacelerar as batidas de meu coração. Sento no meio da praça, num banco de pedra, e tento parar o que me parece um movimento alucinante do mundo ao meu redor. Pequenas ruas saem dali, em várias direções. As sombras aparecem. Ouço o eco de passos. Observo os pingos de chuva no vestido encharcado de minha mãe.

Sinto-me aflita. A Segreta achou que eu deveria me sentir grata por Vincenzo ter sido banido. Raffaello está morto por causa dos poderes que estão me controlando — os mesmos poderes, tenho certeza, que mataram minha irmã. Ainda bem que não obedeci às ordens de Allegreza, recrutando uma pessoa para a Sociedade. Eu me recuso a atrair alguém de confiança do mesmo modo que fui atraída para o grupo.

Também estou farta de me vestir de modo elegante, maquiada e emperiquitada, a fim de atrair algum homem rico que dará uma solução às preocupações financeiras de meu pai. E, se não bastasse isso tudo, a traição de Giacomo... Como é que ele pôde me esconder um segredo desses? Mesmo quando eu tinha a prova em mãos, ainda assim ele não demonstrou sentir nenhuma vergonha.

As palavras dele soaram mágicas para mim. Dava quase para saboreá-las, como goles de vinho. Mas não passavam de mentiras, dissimuladas no tom de voz adocicado do rapaz por quem eu achava que estava me apaixonando.

Oh, Beatrice, penso. *Ele também a tratou dessa forma?*

Annalena disse, certa vez, que temos mais poder do que imaginamos dentro do coração. Fico me perguntando se ela não tem razão. Eu preciso desse poder agora.

Está quase anoitecendo quando chego em casa. Giacomo foi embora, levando sua tela semiacabada. Ficarei feliz se nunca mais tiver de vê-lo novamente. Corro para meu quarto, deixando uma trilha de respingos no piso de mármore, e tiro as roupas encharcadas. Seco os cabelos e aplico um pouco de perfume para disfarçar o cheiro almiscarado da chuva de Veneza, que parece me exalar de cada poro.

Faustina aparece à porta.

— Graças a Deus! — diz ela. — Laura, você prometeu que não sumiria desse modo! Eu tinha certeza de que precisaríamos sair pelas ruas à sua procura. O pintor quase me convenceu a fazer isso, mas... — Ela contorce as mãos, aflita. — Oh, Laura, onde você esteve? E olhe só o seu vestido!

— Eu só precisava ficar sozinha, só isso.

Ela me segura nas mãos.

— Querida, você está gelada! — Ela apanha um xale de lã e o coloca em meus ombros. — Carina deixou uma mensagem. Quer saber se pode vir visitá-la amanhã à tarde. Claro que sim, eu respondi.

Finjo ter um resfriado para não ter de jantar com meu pai. Tenho muito a dizer a ele, sobre Beatrice e Allegreza, mas antes disso preciso reunir forças para encarar essa conversa. Só espero ser capaz de fazê-lo compreender do que as mulheres da Segreta são capazes. A cada vez que penso em minha confissão, ouço a voz sussurrada de Allegreza. *Diga uma única palavra sobre a Segreta a alguém e pagará com sua própria vida*. A cada vez que fecho os olhos, vejo as máscaras se aproximando de mim.

Pego no sono com mais facilidade do que esperava e durmo bem até o dia seguinte. Sinto-me desanuviada. Agora, sim, falarei com meu pai. Ele não poderá ignorar as coisas que revelarei sobre os últimos momentos de vida de Beatrice. E, se eu permanecer no interior destes muros, ninguém, nem mesmo a Segreta, poderá tocar em mim.

Faustina ouve meus movimentos e se aproxima para ajudar a me vestir.

— Eu gostaria de conseguir dormir como você — ela diz, ajeitando os ombros de meu vestido verde. — Pena que meu sono é tão irregular.

Lembro-me de seus roncos enquanto Giacomo pintava e eu poderia sorrir se não fosse a lembrança do que ocorreu em seguida.

Pergunto onde está meu pai; ela responde que está na biblioteca.

— Venha comigo. Precisamos conversar com ele.

— O que você quer dizer com isso, minha pequena? — pergunta, seguindo meus passos.

Não respondo. Ela mal conseguiu me descrever a morte de Beatrice, e não quero que ela saia correndo. Se estiver presente no momento em que eu revelar a história diante de meu pai, posso recorrer a ela para confirmar meu relato. Tento formular minhas frases. *Pai, Beatrice foi assassinada.* Ou: *Pai, preciso lhe contar uma coisa horrorosa. Sente-se.*

Bato à porta e meu pai me manda entrar. Ele está sentado na cadeira de couro de onde minha mãe me contava histórias. Faustina contorce as mãos em desespero, atrás de mim, como se pressentisse que, muito em breve, será incumbida de alguma tarefa extra.

— Pai... — começo a dizer.

Alguém tosse perto da janela, desviando minha atenção. Em pé, uma mulher, com cabelos prateados que refletem a luz da manhã. É Allegreza.

— Ah, aqui está ela. — Meu pai dá um risinho. — Justamente a pessoa com quem queríamos conversar.

Inclino levemente a cabeça e faço uma mesura cautelosa na direção de Allegreza. O que ela está fazendo aqui? Ela já ficou sabendo sobre minha perseguição a Bella Donna pela praça, no meio da chuva?

— É tão bom revê-la, *Signora* — digo polidamente, perguntando-me se ela detectou meu tom de voz cauteloso.

— Igualmente. — Allegreza sorri. — Haverá um recital hoje à tarde, em homenagem ao iminente casamento de Nicolo e Paulina. Eu estava aqui perguntando ao seu pai se você não gostaria de me acompanhar, para vê-lo. Percebi que você e Paulina são amigas íntimas.

Meu pai me lança um de seus olhares de expectativa. Penso rápido.

— É muito gentil de sua parte lembrar-se de mim, mas estou esperando uma visita hoje à tarde: Carina. Não a vejo desde a morte de seu marido. Não gostaria de estar fora quando ela chegar.

Meu pai se ajeita na cadeira.

— Bobagem, Laura. O concerto começa daqui a uma hora. Você terá tempo suficiente. — Ele se volta para Allegreza. — Não é?

— Ela é quem decide se quer vir ou não. Eu não gostaria de *obrigar* ninguém — responde Allegreza. Seu maxilar fica tenso.

— Bem — continua meu pai, num tom pesado e deliberado. — Sei bem que minha filha compartilha a minha opinião de que assistir a um evento maravilhoso como esse é um privilégio. Não é mesmo, Laura?

Faustina me lança um olhar de preocupação; ela percebeu minha relutância. Mas as forças contrárias são demais para mim. *Calma*, digo a mim mesma. Aguarde o momento propício. Não denuncie a si mesma.

— Sim, claro, pai. Que tolice a minha. Eu adoraria acompanhá-la, *Signora* Di Rocco.

Achei que o sol sairia, mas, quando deixamos a casa de meu pai, grandes faixas de nuvens encobrem o céu. Allegreza me estende o braço e, hesitante, coloco a mão em volta dele.

— Onde vai ser o recital? — pergunto.

— Espere e verá.

Caminhamos juntas em silêncio, serpenteando pela cidade por corredores calçados de pedra. Gostaria de ter pedido a Faustina ou a Bianca para vir conosco, mas imagino que Allegreza também teria encontrado uma saída inteligente para essa situação. A cada esquina, estremeço de medo ao imaginar Bella Donna surgindo diante de mim. Tento pensar de maneira racional. Allegreza certamente não teria vindo me buscar pessoalmente na casa de meu pai se tivesse a intenção de que eu não retornasse mais, não é?

Viramos na direção de uma viela imunda e chegamos diante de uma porta de madeira, rachada e manchada. Allegreza pega uma chave e a coloca na fechadura.

— Não há recital nenhum para Paulina e Nicolo, não é mesmo? — pergunto.

— Na verdade, não. — Ela sorri.

— Então, aonde você está me levando? — digo, recuando.

— Por favor, não fique alarmada — diz ela, pegando em meu braço. — Me desculpe pela trapaça. Só quis que seu pai não suspeitasse de nada.

Ela abre a porta e faz sinal para eu entrar, e a seguir tranca-a por trás de nós. A nossos pés, uma íngreme escadaria de pedra leva ao subsolo. Allegreza tem que se agachar para não bater no teto baixo. Há limo no teto, de onde pendem estranhas e pequeninas estalactites brancas, como se estivéssemos numa caverna, e o cheiro de umidade paira no ar. Paro no início das escadas.

— Venha, venha. Você já é uma de nós, Laura. Não há por que ter medo.

À nossa frente, à luz fraca de algumas velas, desembocamos numa ampla adega com fileiras de prateleiras e garrafas. Seis ou sete mulheres da Segreta nos aguardam com suas máscaras inexpressivas. Não trouxe a minha e, por um instante, me sinto como se estivesse nua. Reconheço Grazia em sua máscara de gato negro. *Conheço seu segredo*, penso, resistindo à tentação de denunciá-la ali mesmo, naquele instante; de lhe dizer que eu a vi na catedral ontem. Mas, atrás de mim, a porta é trancada. Revelar o segredo agora implica que ele nascerá e morrerá oculto. Muito provavelmente eu morreria junto com ele. Engulo seco.

— O que acontecerá quando meu pai descobrir que não há recital algum? — sussurro a Allegreza.

— Ele não descobrirá.

— Como é que você pode ter tanta certeza?

— Porque ninguém dirá a ele — ela responde como se isso fosse um fato consumado. Coloca a máscara de coruja e fixa o olhar em mim, como se estivesse me provocando a desafiá-la.

Uma das figuras sombrias encosta em meu ombro. É a mulher com máscara de raposa.

— Olá, Laura — diz ela, estendendo-me uma máscara decorada com penas de pavão. Assim que a coloco, sinto-me estranhamente segura.

— Bem-vindas, irmãs, a este encontro especial — anuncia Allegreza.

Fico me perguntando se sou o primeiro item na pauta da reunião. Haverá algum tipo de retaliação por causa de minha investida contra Bella Donna? Elas quererão saber por que eu não trouxe um novo membro ao grupo?

Mas então me dou conta de que elas me consideram parte do grupo — com o mesmo foco de atenção que todas as demais.

— Gostaria de apresentar uma pessoa a vocês. Maria! — Allegreza a chama, gesticulando com seus longos dedos. — Por favor, traga nossa nova convidada.

Uma das mulheres mascaradas abre a porta que dá para uma antessala. De lá sai uma garota vestida em cetim dourado, com uma venda preta nos olhos. Minha garganta está seca.

É Paulina.

Maria retira a venda. Paulina treme, olhando ao redor da sala.

— O que vocês querem de mim?

Paulina, noiva do filho do duque — uma novata perfeita para a Segreta. Será que elas se cansaram de esperar que eu trouxesse um membro novo? Quem dera eu pudesse arrancar minha máscara, correr até ela e levá-la para longe daqui. Mas se eu me mantiver oculta terei mais chances de protegê-la.

Allegreza explica as regras da Sociedade em detalhes solenes, do mesmo modo que fez comigo. Paulina consente com a cabeça. Ela diz às mulheres que possui um segredo, e então se instaura aquele enorme silêncio perturbador que já presenciei anteriormente.

Paulina se mantém firme, olhando ao redor.

— O que tenho a lhes dizer é que existe outra sociedade secreta. Uma sociedade fundada pelo Conde Raffaello.

Algumas das mulheres se benzem ao ouvir o nome do falecido.

À medida que Paulina prossegue, sua voz ganha um tom de autoconfiança:

— Raffaello foi o fundador de uma organização de apostas. Ele recrutou membros em toda Veneza e também fora da cidade, incentivando as pessoas a participar. Ele participou de reuniões nas quais foram ganhas e perdidas grandes fortunas. A cada dia, as apostas ficavam cada vez mais altas.

Horrorizada, lembro-me da discussão entre meu pai e Raffaello naquele dia, enquanto Carina e eu estávamos sentadas no pátio. Penso no sumiço das joias de minha mãe e nos espaços vazios nas paredes, onde havia quadros.

— Ele estava participando de um jogo muito perigoso — ela prossegue. — A maioria das pessoas que sabia das atividades dele se surpreende que tenha demorado tanto para morrer.

Eu sabia. Raffaello foi assassinado.

Paulina é levada de volta para a antessala. Nós nos juntamos para deliberar sobre o valor de seu segredo, enquanto ela aguarda.

— Na verdade, qual é o valor disso para nós? — diz uma mulher. — Até os cães das ruas sabem que a morte de Raffaello não foi acidental. Todos sabem que alguém o matou, provavelmente com veneno.

Será que ela realmente não consegue enxergar a verdade diante de si — que os assassinos estão entre nós neste momento? Pela primeira vez, pergunto-me se não existem segredos dentro da própria Sociedade. Camadas profundas de sombras. Ou então será que isso tudo é por minha causa? Talvez eu seja a única vagando às cegas aqui, e por trás das máscaras as mulheres estejam rindo.

— É verdade — diz Allegreza —, mas o ponto central são as informações sobre o clube de apostas. Essa é uma informação valiosa para nós. Talvez ela seja capaz de nos revelar mais coisas. Por exemplo, quem são os demais membros.

Meu pai entre eles, penso. Apesar de tudo, não suporto imaginá-lo sendo exposto à vergonha pública.

— Proponho a votação da aceitação dela na Sociedade — conclui Allegreza. — Todas que são a favor, digam sim.

Uma rajada de "sins" ecoa pelas paredes.

— Todas que são contra, digam "não".

Silêncio. Ninguém daria atenção à minha voz dissonante, então não digo nada: a Muda.

— Nossa decisão está tomada — anuncia Allegreza.

Nós nos distanciamos. A seda e as penas se arrastam sobre a madeira e a pedra, e Paulina é chamada de volta.

Ela se mantém ereta e em clima de expectativa no meio da sala, e o ritual de boas-vindas tem início. Allegreza pega a mão de Paulina e, com a ponta de uma faca, faz um corte na palma. Observamos o fio de sangue escorrendo. Paulina se mantém serena, imóvel, sorridente. Será que ela faz ideia da situação em que está se metendo?

Grazia entrega a ela uma magnífica máscara violeta-escura com o formato de uma flor, os vãos dos olhos cercados com pedras de turquesa.

— Então, Paulina, o que podemos fazer por você?

O sorriso de Paulina fica um pouco tímido.

— Há uma garota... — ela começa. Ela se refere à jovem que encontramos naquele dia, junto ao artista de rua, a que dava risos dissimulados por detrás do leque. Filha do homem para quem o tio de Paulina trabalhava, lembro bem. Hesitante, Paulina diz querer que essa garota — seu nome é Perlita — passe por uma situação constrangedora em público. Trata-se de um desejo mesquinho e malicioso, e, embora as máscaras não me permitam ver as reações das mulheres, manifestas em seus rostos, não me surpreendo quando Allegreza balança a cabeça:

— Uma atitude como essa não é apropriada — diz ela. — Temos de agir conforme um código de honra.

Por pouco não ridicularizo o que acabo de ouvir. O rosto de Paulina começa a corar:

— Eu... eu...

— Não há problema — Grazia a interrompe. — Estou certa de que chegará o momento em que poderemos ajudá-la.

Paulina se recompõe, e as mulheres se afastam para conversar entre si. Eu me aproximo dela.

— Parabéns, Paulina.

Dá para ver seus olhos arregalados por detrás da máscara.

— Laura? Há uma ponta de desânimo em seu tom de voz. — É você? Você nunca...

— *Shh* — interrompo-a. Inclino-me na direção dela, de modo que somente ela possa me ouvir. — Tenha cuidado. A Sociedade não é bem o que parece.

— Mas *você* faz parte dela — responde ela. — O que quer dizer com isso?

De repente, Allegreza reaparece a nosso lado, como uma assombração.

— Paulina, com licença, preciso trocar uma palavra com Laura.

Ela gesticula para mim, chamando-me à parte do grupo de pessoas, e eu a atendo.

— Você parece perturbada, Laura. Há algum problema?

— Por que haveria? — pergunto.

Ela retira a máscara e olha diretamente em meus olhos, e faço o mesmo.

— Veneza é um lugar perigoso e assustador — diz ela com delicadeza. — Precisamos confiar uma na outra.

Quem ela está tentando enganar? Ela deve me achar uma idiota, assim como Giacomo. Vejo Paulina conversando com as mulheres do modo como faz quando está em qualquer grupo social. Elas seduziram minha amiga para dentro de sua rede e estão tecendo seus fios ao redor dela.

— Não acredito em você — digo. Seu rosto mostra perplexidade, como se eu tivesse lhe dado um tapa. Saio caminhando rumo à porta.

— Preciso ir para casa. Carina estará chegando logo e não quero desapontá-la.

Allegreza não tenta me impedir. Ela me segue escada acima e destranca a porta para eu sair.

— Tome cuidado — diz ela. Sua voz é densa e tem tom de preocupação. — Lembra-se, Laura, de eu ter dito que você está ligada a nós? Bem, também estamos ligadas a você. Se alguma vez você estiver correndo perigo, me procure.

Concordo com a cabeça e saio na direção do sol vespertino. Mas não consigo me imaginar pedindo ajuda a elas novamente. Quando olho para trás, ela está ali parada, uma sombra alta junto à porta.

Capítulo 30

Carina está no salão à minha espera. Ela me parece frágil e pálida. Bianca coloca na mesa uma jarra de limonada com açúcar. Ela despeja o líquido em duas taças.

— Onde você esteve? — pergunta ela.

Chego perto dela, seguro suas mãos frias nas minhas.

— Eu sinto muitíssimo. Eu...

Ela começa a chorar, então eu a abraço.

— Bianca, por favor, nos deixe sozinhas.

Pego Carina pela mão e a levo até a cadeira de minha mãe. Ofereço-lhe um lenço.

— Eu me sinto tão perdida sem ele — diz ela, depois de um tempo. — E se eu conseguisse encontrar... — Ela me olha, e o medo toma conta dela. — Posso confiar em você, Laura?

— Em nome da memória de minha irmã querida — digo. Ela respira profundamente e olha na direção da porta. — Bianca já foi embora — digo.

Carina consente com a cabeça.

— Elas têm espiões em toda parte.

— Quem?

— Você sabe quem — ela sussurra.

O olhar dela me implora para que eu diga a palavra, que eu quebre a promessa feita a Allegreza. Mas, mesmo neste momento, não consigo.

— A Segreta! — diz ela.

Bebo um gole de limonada. Muito provavelmente Carina não sabe do envolvimento de sua própria mãe com a Sociedade.

— Eu acho que elas mataram Beatrice também — digo. É a primeira vez que verbalizo minhas suspeitas, e o fato de dizer essas palavras reforça minha convicção.

Carina se ajeita na cadeira, franzindo a testa.

— Você tem alguma prova?

Balanço a cabeça e lhe relato da melhor maneira possível o que testemunhei com meus próprios olhos. Omito meu próprio envolvimento com as mulheres mascaradas, mas as lacunas de meu relato ficam evidentes, e Carina preenche esses espaços com o sentido que eles têm.

— Meu Deus! — diz ela. — Você é uma delas, não é? — Ela tem o impulso de se levantar, mas eu imploro para que não vá embora.

— Sou uma delas somente no nome, mas não de fato — digo. — Elas me atraíram com a promessa de romper meu noivado com Vincenzo.

Ela dá um suspiro profundo.

— Se o que você está dizendo é verdade, então você precisa... precisamos ter muito cuidado.

— Juro pela alma de minha mãe e também pela de minha irmã que não estou mentindo. Deve haver alguém para quem possamos contar isso. Alguém do Grande Conselho, talvez.

Sua expressão fica tensa.

— Não! Raffaello também sabia da existência delas, bem como Beatrice, e veja o que aconteceu a eles. Precisamos guardar essa informação conosco até termos certeza.

— Eu já tenho certeza — digo.

— Até termos certeza de que estamos em segurança.

Gostaria de poder falar com Carina a respeito de Giacomo, sobre a sensação que corrói meu estômago como se fosse fome. Mas ainda me sinto idiota por ter acreditado em suas palavras adocicadas, e minha ferida parece insignificante diante das sombras da Segreta que pairam sobre nossa conversa feito urubus arqueados.

Carina sai, mas antes arranca de mim a promessa de que não agirei precipitadamente — "e sob nenhuma circunstância fale com seu pai a respeito disso". Tiro os sapatos e deito na cama. A esta hora, eu estaria iniciando minhas preces noturnas no convento. Naquela época, minha vida era tão organizada que eu poderia prever o que ocorreria a cada minuto do dia; hoje, sinto-me como um gondoleiro que abandonou a segurança dos canais, remando por entre correntes sinuosas e tentando não ser arrastado na direção do mar aberto.

Ouço uma curta batida à porta. Pego rapidamente o livro de poemas de amor de minha mãe de sob o travesseiro e finjo estar absorta na leitura.

É Bianca. Parece tentar não sorrir de modo malicioso.

— Aquele homem veio visitá-la novamente — diz ela.

— Que homem?

— Você sabe quem, Giacomo. O pintor.

Pulo da cama e me coloco em pé sobre o piso frio.

— Bem, quero que você peça ao *pintor* que vá embora agora mesmo e que não volte mais aqui.

Bianca abre a boca para me interromper, mas ergo a mão.

— Diga a ele que não posarei para ele nem hoje nem em dia algum. Certifique-se de que ele compreendeu minha mensagem. Quando ele tiver ido embora, volte para me dizer.

— É isso que estou tentando lhe dizer. Ele já foi embora. Só veio entregar o quadro.

— Entregar? Mas não está terminado.

— Ele diz que já está — responde Bianca.

Ele não pode ter terminado. Até ontem só havia um esboço, como um espectro. Eu ainda deveria posar pelo menos duas vezes. Bianca deve estar enganada.

— Me dê um minuto — digo a ela.

Enquanto recoloco o xale e os sapatos, sorrio perversamente ao pensar na ira de meu pai quando ele vir o trabalho ordinário de

Giacomo, quando ele tiver caído em desgraça e se vir forçado a se explicar. Ele terá o que merece. A cada passo que dou, imagino meu pai num acesso de fúria.

Desço descalça pelo corredor até o átrio; meu pai já está ali. Entre nós dois, há um suporte e vejo a parte de trás da tela.

— Pai?

Meu pai olha fixamente para o quadro. Não há rugas em suas sobrancelhas, ele parece bastante calmo. Talvez esteja até sorrindo.

— Venha — diz ele, com ternura. — Venha aqui ver como o rapaz reproduziu sua imagem.

A náusea toma conta de mim. Dou a volta, evitando o quadro e indo até onde está meu pai. O universo inteiro, além de mim, parece estar prendendo a respiração.

Pisco devagar e então abro os olhos.

— Que tal? — diz meu pai.

Respiro ofegante. O que vejo é uma coisa assombrosa. O quadro é radiante, perfeito em seus mínimos detalhes. Chego mais perto para examinar cada curva e nuance. Meus dedos, a cor e as sombras de meu colo, o azul de meus olhos, meus cachos caídos. O contorno de minhas sobrancelhas, a inclinação de minha cabeça, o brilho do raio de sol sobre minha pele. Como é que ele conseguiu capturar minhas cores e curvas sem que eu estivesse à sua frente? A tinta do quadro ainda está fresca, sem a camada de verniz, e parece uma coisa viva. O corpete do vestido de minha mãe está numa posição mais baixa do que me recordo e meu olhar tem um quê de desafio, provavelmente uma indicação de como eu me sentia quando nos despedimos. Mas tem algo mais, impossível de explicar, e sinto-me corar, irritada, ao pensar nisso. Isso porque qualquer um que olhe para esse quadro poderá suspeitar que o pintor sabia mais sobre mim do que eu mesma.

Faustina e Bianca também entram correndo para ver. Elas juntam as mãos ao peito e respiram ofegantes, em uníssono. Não conseguem ver a insolência que há nas pinceladas.

— Sim — diz meu pai —, realmente a semelhança é muito grande. Acho que ele merece sua remuneração. Faustina, vá ao pátio e entregue isto a ele. — Estende a ela uma bolsinha cheia de vincos.

— Mas ele já foi embora — digo, acreditando em Bianca.

— Quem dera! — diz meu pai, em tom de piada. — Os trabalhadores jamais se esquecem do dinheiro que têm a receber. Não, ele está esperando lá fora, no banco de Beatrice.

Antes que alguém decida tomar uma atitude diferente, apanho a bolsa das mãos de Faustina, que reage atônita.

— Me dê isso, eu levo a ele — digo e saio na direção do pátio.

Minhas bochechas estão em fogo. Vou confrontá-lo. Direi a ele que não quero mais que chegue perto desta casa, nem que pinte qualquer retrato meu nem que me envie presentes enganosos fingindo preocupação e carinho.

Ele está sentado onde meu pai disse que estaria, com os braços esticados no encosto do banco e as botas de couro firmemente plantadas no solo. Ao me ver, levanta-se.

— Laura! Obrigado. Obrigado por ter vindo aqui fora. Por favor, sente-se comigo. Preciso muito falar com você.

Não me sento. Meus lábios tremem, por mais que eu não queira.

— Não me trate por esse nome. Sou *Signorina* Della Scala, e você... você não passa de um pintor que recebeu dinheiro de meu pai para fazer um serviço.

Jogo a bolsa sobre o banco.

Ele a ignora. Passa a me encarar.

— Mas Laura...

— Pare! Você não tem o direito. É errado da sua parte.

— Eu perdi completamente a noção do que é certo ou errado — suspira ele.

— Então, me deixe esclarecer as coisas. Não pretendo ter nenhuma ligação com você. Só quero que fique longe daqui. O retrato foi terminado, e você já recebeu o pagamento integral por seu trabalho. Não tem mais nenhum motivo para voltar aqui.

— Sim, tenho — diz ele. — E é o melhor motivo de todos.

Coloco as mãos nos quadris, como vi Faustina fazer diante dos pedintes bêbados nas ruas.

— Ah, é?

— Laura, Beatrice e eu não éramos amantes. Juro a você.

Sua mão grande e macia está estendida sobre o peito, amassando a camisa branca. Seus olhos são cândidos e têm a cor de uma avelã brilhante. Não posso olhar para eles, senão estarei perdida.

Os sinos de São Marcos começam a badalar, e sinto como se meu coração estivesse acompanhando seu ritmo.

— Você tem até a última badalada dos sinos para se explicar.

Dong, toca o sino.

— Foi ela que me procurou. Nos conhecemos por acaso, durante a inauguração do altar na Igreja de San Marziale.

Dong. Aperto os lábios, olhando para o chão.

— Eu disse a ela que também era pintor, só isso.

Dong. Olho fixamente para os contornos de sua sombra nas lajotas.

— Ela queria aprender a pintar. No início, hesitei em relação a isso. Eu a alertei de que as pessoas não aprovariam a ideia. Mas ela insistiu.

Dong.

— Meu Deus, Laura, você bem sabe como ela é teimosa!

Dong.

Ele olha para baixo por uma fração de segundo.

— Quero dizer, como ela *era* teimosa.

O som das últimas badaladas ressoa ao fundo e ele silencia. Eu me viro, de modo que ele não possa ver meus olhos se enchendo de lágrimas. De fato, sei bem como ela era teimosa e me lembro dos esboços que fazia quando criança. De nossa mãe, dos navios no porto, de mim. As lágrimas escorrem por meu rosto. Já me contaram muitas mentiras, mas a verdade de suas palavras brilha mais forte do que o sol.

— Estou indo — diz ele, baixinho. Ouço seus passos se distanciando.

— Uma vez ela passou dois dias inteiros procurando um colar de âmbar que tinha deixado cair na rua — digo. — Todos a aconselhavam a desistir. Ela saiu escondida à noite. Ao voltar, ela o segurava bem acima do rosto, como um troféu.

Ele para diante do portão. Quando se volta para mim, sorri.

— Isso parece bem típico dela.

Ficamos novamente em silêncio, em pé, um de frente para o outro.

— Sabe, ela não falava de outra coisa a não ser de você — diz ele. — No final, antes mesmo de eu conhecê-la, também só falava de você com ela.

O vento sibila por entre os ciprestes. Tenho a impressão de ouvir alguém chorando, mas é uma pomba expressando seu lamento, bem acima de nós. Não consigo falar.

— Acho que eu estava apaixonado por você antes mesmo de nos encontrarmos — diz ele.

Meu olhar se fixa nele. Não me mexo. Pergunto-me se o que ouvi dele foi imaginação minha.

— O que você disse?

— Não penso em outra coisa a não ser você. Até tentei. Mas, Laura, não consigo tirá-la da cabeça. Jamais conseguirei pintar outro retrato se não for um retrato seu.

Suas mãos bronzeadas se estendem completamente para os lados, num sinal de súplica. De repente, o pingente de seu colar reluz e, novamente, ele me parece um anjo com marcas de tinta nos braços.

Aproximamo-nos. Encosto em seu rosto, e minha mão parece pálida perto de sua pele bronzeada. Meus dedos seguem as ondulações sutis de suas covinhas, tateando sua barba de fios que espetam.

— Laura — diz ele. O som de sua voz ao dizer meu nome é como o sabor de um vinho suave: encorpado e denso, como nunca provei antes. Inclino o rosto na direção dele e, delicadamente, ele toca em meu queixo, trazendo-me para perto de si, do mesmo modo que, um dia antes, ele o inclinou na direção do sol.

Ele pressiona os lábios dele contra os meus, e abre a boca. Ele me beija.

Capítulo 31

Ouvimos um grito agudo e nos afastamos. Faustina ergue as mãos e, a seguir, coloca-as na frente da boca. Ela desce ruidosamente as escadas, vindo em nossa direção.

— Afaste-se dela! Oh, Santa Madonna. Deixe a pobre garota em paz! Você não sabia que ela é uma fidalga? Laura, você está bem? O que esse homem fez a você?

Enquanto ela se aproxima de nós, Giacomo murmura:

— Você não deve se meter em confusões. Não quero que seja humilhada por minha causa.

— Nem se você quisesse isso seria possível — digo a ele. Digo a Faustina: — Não há nada de errado acontecendo. Absolutamente nada!

Seguro a mão de Giacomo. Não quero deixá-lo partir.

Faustina olha para a mão bronzeada dele sobre a minha. Sua expressão se altera; franze as sobrancelhas e morde os lábios. Eu nunca a tinha visto zangada comigo antes.

— Por Deus do céu e pelos santos abençoados! Seu pai errou ao escolher Vincenzo, mas você acha que esse criado tem alguma coisa de melhor? Oh, Laura! Se alguém visse isso... sua reputação seria arruinada *assim*! — Ela estala os dedos. — Beatrice deve estar se revirando no túmulo só de pensar em você se entregando a esse... esse... patife! — Ela separa nossas mãos e aponta seu dedo rechonchudo para Giacomo. — E você, então? Brincando com os sentimentos dela!

Ela acaba de sair do convento. Ela não compreende. Não entende dessas coisas.

— Por favor, Faustina — digo, mas ela concentra o olhar em Giacomo.

— Ou será que você achou, de verdade, que ela iria se aventurar com alguém da sua posição?

— Não, claro que não, *Signora* — ele responde, afastando-se.

— Um pintor! Graças a Deus eu cheguei na hora certa. — Ela começa a empurrar Giacomo pelo caminho do jardim, na direção do portão.

— Eu vou embora — diz ele —, mas só lhe peço para trocar uma rápida palavra com Laura.

— Laura? — diz ela num tom de voz estridente, horrorizada pelo fato de eu ser tratada pelo nome de batismo.

Ele contorna Faustina, irada e sem fala, e me encara novamente. Sua testa estampa sinais de seriedade e tristeza.

— Eu sinto muito, *Signorina* Della Scalla, sinto muito. Foi um grande erro de minha parte.

Aperto as mãos dele entre as minhas.

— Que algazarra é essa? — grita meu pai. Ele caminha a passos largos pelo pátio.

Afastamos nossas mãos.

— Oh, nada — diz Faustina. — Laura acaba de fazer o pagamento ao pintor, e ele já está indo embora. Não é mesmo, Laura?

Não consigo encarar meu pai, mas, a julgar pelo modo como ele inspira profundamente, pressinto que tenha visto Giacomo e eu nos tocando.

— Seu cachorro insolente. Vá embora de minha propriedade agora mesmo! — Ele ordena entredentes. Arrisco olhar para ele e vejo que seu rosto está cinza como pedra.

— Por favor, pai...

— Silêncio! — ele berra, deixando Faustina abalada.

— Senhor — Giacomo começa a dizer —, sua filha não tem culpa alguma nisso. Eu assumo...

— Vá embora — sibila meu pai — antes que eu pegue o chicote e lhe dê chibatadas daqui até Constantinopla.

Giacomo consente com a cabeça e se volta na direção do portão. Ao chegar a ele, toca os lábios com a ponta de dois dedos e olha para mim. Uma despedida carinhosa e secreta, que me encanta e me parte o coração.

Meu pai grita na direção dele:

— Você não receberá mais nenhuma encomenda em toda Veneza! Está me ouvindo, garotinho insolente?

Eles me fazem entrar em casa. Não sei o que acontecerá na sequência, mas me sinto estranhamente segura.

— Foi culpa do rapaz — Faustina diz a meu pai.

— Eu sei o que aconteceu. Percebi o olhar dela — ele resmunga.

É como se eu não estivesse aqui. E, de certa maneira, não estou mesmo. Sinto como se nada pudesse me atingir. Ouço as palavras de Giacomo repetidas vezes. Ele disse que me ama. E agora, por mais que me arrastem para cá e para lá, sei que estou pisando em terreno sólido.

Meu pai me conduz pela mão até a biblioteca, de modo que possa conversar comigo em particular. Mas vejo sombras familiares no vão sob a porta e sei que Faustina e Bianca devem estar agachadas ali, ouvindo-nos. Pelo modo como sua voz ecoa e ricocheteia pela sala, é como se eu estivesse diante de um urso numa caverna.

— Por Deus do Céu — ele diz de modo teatral —, no que é que você estava pensando?

— Eu não estava pensando em nada — digo, o que é verdade. Uma coisa completamente diferente estava acontecendo no pátio. Algo novo, sem a mínima lógica.

— Tudo está perfeitamente claro — diz ele, massageando as têmporas. — Porque você, mocinha, esteve à beira de arruinar sua própria vida. Você faz alguma ideia do que poderia ter acontecido? — Sua fala tem tom paterno: irado e temeroso, mas não necessariamente cruel. — E ainda por cima com Bianca morando nesta casa, a maior fofoqueira de Veneza! Você ficou maluca? Quem se casará com uma mulher que teve relações promíscuas com *um pintor*?

Ele dá voltas ao meu redor, caminhando como um avarento cujo tesouro corre o risco de ser saqueado. Só que estou cansada de ser tratada como uma moeda a mais em seu baú.

— Como é que você tem coragem de me dar sermão? — pergunto. — Logo você, que só se preocupa consigo mesmo e com suas ambições políticas? Se eu não tivesse respeito pelo nome desta família, pelo nome de minha mãe e pelo de Beatrice, você acha que eu ainda estaria aqui?

Ele hesita, sem dizer nada. Continuo.

— Portanto, não me venha dizer como devo me comportar! Olhe para seu próprio comportamento. Que tipo de pai obriga sua filha a se casar com um velho decrépito só para conquistar uma vaga no Grande Conselho?

Ele abre a boca, espantado. Não me importa que sua fúria tenha irrompido com carga total ou que seu rosto pareça um enorme pimentão.

Meu pai me dá uma bofetada. Sem muita força, mas ainda assim minha pele arde, enquanto me mantenho firme.

— Vá para seu quarto — ele diz, com a voz abafada.

Minha respiração se dá em espasmos enquanto o calor de meu rosto se ameniza. Mantenho a cabeça erguida, na expectativa de que ele perceba a força dentro de mim.

— Vá para seu quarto! — ele berra.

— Já ouvi na primeira vez — respondo, virando-me e caminhando com a maior calma possível na direção da porta.

Faustina está sentada na ponta da cama, torcendo as mãos em sinal de desespero. Enrolo-me em meio aos travesseiros. Ouço o canto dos pássaros através da janela aberta, e raios do pesado sol vespertino começam a vazar para dentro do quarto feito mel.

— Eu sinto muito, Laura.

— Não foi culpa sua — digo.

— Eu jamais deveria ter feito um escândalo daqueles. Se não tivesse me ouvido, ele nunca teria...

— Eu sei. Você só estava preocupada comigo.

— Eu pedi a Bianca para não dizer uma palavra sobre isso a ninguém — ela acrescenta.

— Sinto vontade de dar a notícia a Veneza inteira — digo, erguendo a cabeça do travesseiro com um sorriso frouxo.

Faustina balança a cabeça.

— Bem, com certeza é melhor você não fazer isso. Mesmo porque seu pai me instruiu a não deixá-la sair de seu quarto.

Ela me aponta o dedo em riste e franze as sobrancelhas, numa gozação ao jeito dele. Dou risada: pelo menos Faustina e eu retomamos a amizade.

— Você terá de ficar aqui até ele se acalmar. Eu trarei seu jantar. — Alguém bate à porta da casa e ela sai rapidamente.

Não tenho vontade de comer. Nem de dormir. Não consigo pensar em outra coisa a não ser no que aconteceu no jardim.

De uma situação em que eu estava sendo obrigada a me casar com um homem que jamais seria capaz de amar, passei a amar um homem com quem nunca poderei me casar. Vou até a janela e me debruço, voltando a respirar normalmente, pois é neste instante que me dou conta: eu o amo. Pela primeira vez, compreendi por que as pessoas gravam seus nomes juntos no tronco dos ciprestes. Percebo que o amor é algo que precisa ser anunciado. No entanto, não posso anunciar meu amor. E, se meu pai conseguir o que pretende, é possível que eu nunca mais volte a encontrar Giacomo.

Faustina volta correndo para o quarto.

— Allegreza está aí embaixo.

— De novo? O que ela quer?

— Seu pai pediu a ela que a leve para se confessar.

— Não tenho nada a confessar — digo, irritada.

— Ele contou tudo a ela sobre o pintor.

Respiro com dificuldade, imaginando que, dentre todas as pessoas, Allegreza é quem estará sentada do lado de fora do confessionário, na mais hipócrita das atitudes, enquanto eu, do lado de dentro, revelo meus pecados. Mas sei que este não é, de fato, o motivo que a traz aqui.

Faustina alisa meus cabelos e então os enrola, formando um nó apertado e colocando neles uma fita para me dar um ar de séria e arrependida. Assim que ela sai do quarto, pego minha máscara e a escondo sob minha capa. Depois do que aconteceu, sinto-me selvagem e destemida, não tenho mais nada a perder. Allegreza, com feições sombrias e obscuras, está em pé, esperando-me no átrio.

— Laura — diz ela em tom grave, acenando com a cabeça na direção de meu pai. — Venha comigo, tudo ficará bem.

Capítulo 32

O SOL FINALMENTE SE PÕE no horizonte no momento em que Allegreza me conduz até um grupo de gôndolas em Mazzini.

— Aonde você está me levando?

— Você é membro da Sociedade — ela diz —, e nós temos uma reunião.

Sentamo-nos em silêncio enquanto a gôndola navega por sinuosos canais secundários, onde nunca estive antes. Quando desembarcamos, estamos num lugar que não reconheço — na região leste da cidade, perto dos estaleiros, se é que é possível orientar-se pelo ruído das marteladas na construção e manutenção dos barcos. Caminhamos rapidamente pelas vielas, desembocando numa capela pequena, cinzenta e angulosa. Em seu interior, dança a chama de dezenas de velas, e as mulheres mascaradas murmuram cumprimentos em minha direção. Outras me tocam a mão ou os ombros, como sinal de boas-vindas.

Fico mais calma. O encontro obedece aos ritmos e aos sons de uma reunião comum da Segreta. É possível que seja só isso.

Allegreza anda devagar rumo ao altar, e as mulheres se aquietam. Ela sempre consegue silenciar os ruídos de uma reunião com um gesto simples.

Duas outras mulheres trazem uma garota baixa, pálida e bonita até o centro da capela reluzente. Seus cabelos são louros e lisos, e seus olhos castanhos, enormes, tímidos e trêmulos.

— Bem-vinda, Cecile — diz Allegreza. — Esta é a Sociedade dos Segredos, e você deve nos revelar o seu.

As mulheres permanecem imóveis. Sinto vontade de confortar essa garota, que parece tão assustada. Sua voz é lírica e gutural, e ela fala num italiano hesitante, atenuado por um sotaque que reconheço parcialmente.

— E vocês me ajudarão? — pergunta ela. — Me disseram que vocês poderiam me ajudar com meu amado. Ele não é soldado e não deveria ser obrigado a lutar.

— Se seu segredo for valioso, poderemos conseguir a dispensa dele.

— Meu segredo é valioso — diz Cecile. — Está relacionado ao duque de Veneza.

Murmúrios ecoam pela sala. Elas devem estar se perguntando, assim como eu, se esse segredo já é conhecido.

A garota ergue a cabeça e levanta um pouco o tom de voz.

— Bem, na verdade é um segredo relacionado ao filho dele.

Percebo que, a meu lado, Paulina fica tensa.

— Um segredo sobre Nicolo? — pergunta, ansiosa.

— Não sobre Nicolo, mas sobre o outro filho, Roberto. O que deveria estar morto.

Deveria estar? Os murmúrios cessam e reina um silêncio profundo na sala, embora algumas das mulheres lancem olhares na direção de Grazia. Os olhos dela cintilam sob a máscara de gato, mas ela permanece calada.

Cecile lança um olhar tenso para Allegreza, que acena positivamente com a cabeça:

— Continue.

— Quero dizer a vocês que o filho primogênito do duque está vivo.

Em coro, as mulheres manifestam sua incredulidade.

— Ela está mentindo para a Segreta! — brada uma delas.

— Está nos pregando uma peça! — diz outra. — Não é verdade.

— Eu o vi com meus próprios olhos — insiste Cecile, elevando a voz acima do burburinho. — Em Paris.

Allegreza caminha até a garota, e as mulheres mascaradas silenciam novamente.

— Essa afirmação é bastante grave — diz ela. — Os restos mortais do menino estão num túmulo aqui mesmo, nesta cidade.

O rosto de Cecile se enruga todo.

— Bem, o que mais posso dizer? Ele falou comigo sobre sua infância e sobre as promessas de vingança que o fizeram sair da cidade. Sofreu um ferimento de espada e levou várias semanas para recuperar-se.

Embora ela ainda esteja amedrontada, seu tom de voz é incisivo. Estende as palmas das mãos, indicando que nada tem a esconder. Não há qualquer sinal de malícia em seus olhos.

Várias das mulheres se aproximam de Grazia, que se apoia pesadamente numa delas. Elas a abanam com um leque, enquanto uma corre para buscar um banquinho para que se sente.

— Ele está vivo? — ela balbucia. — O filho do assassino de meu Carlo está vivo? E morando em Paris? — Ela soa desconcertada, quase embriagada com a notícia.

— Não está mais em Paris — diz Cecile. — Voltou para Veneza.

Grazia dá um gemido e tomba na direção da colega ao lado. Allegreza pede silêncio.

— Ainda não sabemos se isso é mesmo verdade. Continuarei a questionar Cecile, e então voltaremos a nos reunir.

Paulina me toca o braço e me puxa para um canto. Sob a máscara, seus olhos se arregalam de medo.

— Não é verdade — diz ela.

— Essa garota não tem motivo para mentir — digo com a maior delicadeza possível.

— Você consegue perceber o significado disso tudo?

O foco de minha atenção está nas mulheres tentando reanimar Grazia, e balanço a cabeça em sinal negativo.

— Se Roberto ainda está vivo, então meu Nicolo deixou de ser o herdeiro.

Viro a cabeça na direção dela, chocada.

— Mesmo que ele não seja o herdeiro, ainda assim é um ótimo marido.

— Ele não é o homem que pensei que fosse.

— Mas você me disse que o amava, tendo ou não tendo a fortuna que tem.

Ela suspira.

— Bem, sim, mas a coisa não é tão simples assim.

Abatida, ela caminha na direção da porta. Grazia se levanta do banco, dispensando a ajuda oferecida pelas mulheres.

— Allegreza, posso falar com a garota?

Allegreza consente com a cabeça, e Cecile, horrorizada, observa Grazia vindo em sua direção, balançando as saias de seu vestido de luto preto.

— Não há motivo para ter medo de nós — diz Grazia —, contanto que você esteja nos dizendo a verdade.

— Por favor... eu só... eu não posso dizer mais nada a vocês.

— Quando se trata de segredos, há sempre algo mais a ser revelado. Em primeiro lugar: como encontrou o homem que você diz ser Roberto?

— Ele foi aprendiz, junto com meu irmão, há dois anos, em Paris. Ele tinha meu irmão como confidente, foi por isso que eu fiquei sabendo de tudo.

— Aprendiz de qual profissão? — pergunta Grazia.

— De pintor — diz a garota.

Sob a máscara, sinto o corpo tremer. Apoio a mão numa coluna.

Grazia se volta para a garota e diz:

— Então isso não passa de um boato sem comprovação, vindo de um irmão que não temos como interrogar.

— Meu irmão teria tanta razão para mentir quanto eu — diz Cecile. — Ele diz que Roberto usa um colar com um pingente onde está gravada a insígnia do duque. Ele nunca o tira do pescoço.

De repente, sinto calafrios à medida que as dúvidas me exalam dos poros. Meu pintor, com seus cachos e seu olhar sereno, é o primogênito do duque. Giacomo é Roberto. Seus ossos não jazem sob um bloco de pórfiro na Catedral de São Marcos; eles ainda estão cobertos de carne. Carne que eu pude tocar. Uma respiração que se misturou à minha.

Lembro-me, agora, do modo como a duquesa sorriu para ele durante a caçada. Penso no comentário do duque em relação aos talentos dele. Penso na maneira como Giacomo mexia e remexia no colar em seu pescoço quando conversávamos sobre o passado. Nem tudo é o que parece. Não confie em ninguém em Veneza. Não existem amigos. Essas passagens de minha catequese me reverberam alto na mente. Mas, de repente, me dou conta de uma coisa. Não darei ouvidos às dúvidas que foram plantadas em mim por vozes alheias. Ouvirei meu coração.

Tiro a máscara, que está me sufocando, e a deixo cair no chão.

Grazia continua a fazer perguntas, e para cada uma delas Cecile tem uma resposta na ponta da língua. Vejo a mãe de Carina se enrijecendo feito pedra. Sua determinação cresce como uma enorme onda, alimentada pela indignação diante de uma dívida que ela julgava ter sido paga muito tempo antes, mas que foi paga em moeda falsa.

— O sangue dele pertence à minha família — ela sussurra num tom grave.

— Mas isso é uma tolice! — interrompo-a. — A promessa de vingança aconteceu anos atrás. Roberto já é um homem. Isso se ele estiver mesmo vivo.

As mulheres, agora, se voltam em minha direção. Olham meu rosto nu.

— Meu marido tem direito sobre os anos que ele viveu — diz Grazia.

Faço um esforço consciente para dominar o tumulto que agita meus pensamentos. Preciso encontrá-lo. Preciso alertá-lo. Se são capazes de matar um menino de 11 anos, um homem não significa nada para eles.

— Com licença — digo, abrindo caminho por entre as mulheres.

— Aonde você vai? — diz uma delas.

— Nós lhe avisamos — diz uma delas, segurando-me pelo braço. — Não descumpra a promessa feita à Segreta.

Não consigo me libertar de suas longas garras. Mas Allegreza me olha calmamente e diz:

— Deixe-a ir. Não podemos segurá-la aqui.

Ergo o vestido, saio correndo pela porta e desço a escadaria. Deixo para trás a confusão e o burburinho criados pelas mulheres. Preciso encontrá-lo.

Capítulo 33

Por sorte, a capa que usei durante a reunião, e que me mantém anônima, ainda contribuirá muito para que eu mantenha meu disfarce nesta jornada.

Uma gôndola se agita na água, e seu condutor abana o rosto com um grande chapéu.

— Por favor! Por favor, senhor, me leve ao Lido. Preciso ir até o bairro dos artesãos.

Ele estende a mão para me ajudar a embarcar.

— Chegarei lá o mais rápido que eu puder. Sente-se e recupere o fôlego.

Faço de tudo para me manter calma e pensar de maneira lógica. O segredo de Giacomo o acompanhou Europa adentro como uma infecção crônica para a qual não existe cura. Sua sentença de morte já está assinada, e ele não sabe disso, porém muitos ainda não sabem. Ainda há tempo.

Ao passarmos por trás de um armazém, o gondoleiro me pergunta onde exatamente quero descer. Tenho um acesso de pânico ao me dar conta de que não sei.

— Você conhece um homem chamado Giacomo? — indago. Uma pergunta tola e assustada, fruto do estado de desespero.

— Conheço vários homens com esse nome. — Ele sorri.

— Ele é pintor. — Minha voz sai engasgada. — Você conhece *alguém* a quem eu possa perguntar?

O gondoleiro deixa a embarcação e me segura pela mão, enquanto desembarco.

— Espere aqui, *Signorina*. Tentarei descobrir.

Ele sai caminhando na direção de uma viela escura, dizendo que logo voltará e que é melhor que vá sozinho. Mas não consigo simplesmente ficar parada à espera dele. Tenho de correr.

Três rapazes vestidos com roupas esfarrapadas balançam os pés à beira do canal. Corro na direção deles.

— Vocês conhecem Giacomo? — pergunto. Eles me olham e riem.

Meu gondoleiro retorna num passo vagaroso e assobiando. Parece surpreso com minha pressa, correndo pela rua de pedras.

— O padeiro diz que conhece um artista chamado Giacomo — diz ele. — Ele mora na Caligari, número 17. Vá pela margem deste canal até o fim, entre na rua que faz uma curva à esquerda e ande até chegar à Fellucci. A Caligari é a terceira à direita.

Saio correndo, num ritmo frenético, e lhe agradeço olhando para ele por sobre os ombros.

Na Caligari, desacelero o passo, percorrendo o lugar inteiro com os olhos. E se ele não estiver aqui? Talvez tenha recebido uma encomenda para trabalhar em outro lugar. Vem-me à mente uma repentina imagem de Giacomo, manchado de tinta e assobiando como um menininho em liberdade. Só que ele não está mais livre.

Ergo os braços e bato à porta, no número 17, com punhos que parecem blocos de mármore.

— Giacomo!

Silêncio.

Por favor, esteja em casa, rezo.

Annalena costumava dizer que as preces desesperadas carregam consigo um poder brutal e excepcional. Eu nunca acreditei nela, mas é o que acontece agora. A porta se abre.

— Laura! — Ele sorri, e eu fico sem fala. Ele franze a testa. Ali mesmo, na soleira da porta, com minha respiração pesada acelerada de medo, ele me envolve em seus braços. — Qual é o problema? — pergunta.

— Você está correndo perigo.

Ele ri.

— Por causa do seu pai?

— Os De Ferrara. A promessa de vingança.

Isso silencia o riso dele, e seu rosto empalidece. Entreabre os lábios.

— Venha para dentro.

Ele entrelaça seus dedos nos meus. A estreita escadaria range enquanto subimos. No topo, uma porta coberta de tábuas e de aparência deformada. Ele a abre com o pé e me conduz para dentro. Levanta um cacho de meu cabelo e encosta o rosto nele, inspirando.

A sala é simples e iluminada — por meio de duas claraboias, ambas abertas para a entrada de ar. No meio do aposento, uma mesa simples, coberta de livros, esboços, bilhetes e telas, e um catre com lençóis emaranhados encostado no canto. No lado oposto, potes de tinta, molduras e cavaletes. Ao lado da cama, um guarda-roupa simples.

— Você já sabe? — ele diz.

Toco em seu peito com a ponta dos dedos, e ele coloca levemente a mão sobre a minha. Ergo a corrente de seu pescoço. Coloco-a em volta de minha mão e a olho atentamente. Agora eu a vejo: a insígnia do duque.

— Roberto.

Ele me envolve com um cobertor, pois, mesmo com o calor, estou tremendo. Ele se agacha perto do pequeno fogão enquanto ando pela sala, tentando lhe explicar tudo o que sei. Pela segunda vez estou quebrando o juramento feito à Segreta. Numa pequena chaleira no fogo, a água borbulha, derramando-se pela borda. Com um pano, ele a pega e despeja água quente em duas xícaras. Sua mão treme.

— Você poderia ter me contado — digo.

Ele se aproxima novamente de mim e apoia a cabeça em meu ombro. Ouço sua respiração.

— Fazia tanto tempo que ninguém me chamava por esse nome — diz ele. — Eu nunca tive a intenção de enganar você.

— Eu entendo, mas agora outras pessoas também já estão sabendo. Grazia certamente contará ao marido dela.

— Não sabemos se ela fará isso. É possível que a notícia não tenha ainda se espalhado para além do círculo dessas mulheres. Afinal, elas são a Sociedade dos Segredos. — A serenidade com que ele fala me dá a sensação de que vou desmaiar.

— Não vale a pena correr o risco. Você precisa fugir daqui.

Ele se senta e apoia os cotovelos sobre a mesa, segurando a cabeça.

— Já passei tanto tempo fugindo dos lugares.

Alguém bate vigorosamente à porta, causando-nos um sobressalto.

— São eles! — digo. — Eles já chegaram!

— Pare de se preocupar tanto — ele sussurra, tocando meu rosto. — Nem mesmo as fofocas de Veneza seriam capazes de mobilizar alguém com tanta rapidez. Mas, seja quem for, deve estar à sua procura, e é melhor que você não seja encontrada aqui.

Ele joga fora o conteúdo de uma das xícaras e abre as portas do guarda-roupa de carvalho do lado oposto da sala. Está repleto de roupas: camisas brancas e macias, calças pretas de algodão e duas jaquetas, uma delas com um botão faltando. Um par de botas de couro.

— Por favor, tenha cuidado — digo, entrando no guarda-roupa.

Ele me beija nos lábios, enquanto batem novamente à porta. Fecha o guarda roupa, deixando-me no breu, somente com seu cheiro. Há uma pequena réstia de luz entre as portas. Eu me apoio naquele vão e olho fixamente.

Primeiro, ouço a voz abafada de uma mulher, mas, confinada onde estou, e em meio ao turbilhão de minha mente, não consigo identificar a pessoa. Grazia terá vindo sozinha? Ouço passos, mas neles não há sinal de pânico. A seguir, vejo uma silhueta entrando na sala.

Ela veste um manto negro e se mantém em pé, longe de mim. Roberto está em frente dela, com uma expressão perturbada. Quando ela tira o capuz, fica evidente seu choque diante da mulher de cabelos ruivos.

— Olá, Carina — diz Roberto.

Capítulo 34

A FILHA DE GRAZIA solta um riso contido, e seu perfil brilha com a luz.

— Ora, ora — diz ela. — Onde você tem se escondido?

— Eu tenho trabalhado nas pinturas — diz ele com cautela.

— E no esconderijo mais óbvio de todos. Agora entendo por que nunca pude reconhecê-lo. Você mudou muito.

— Foi sua mãe que lhe contou? — ele pergunta.

— Ela está um tanto perturbada — diz Carina. — Mas por que você não me contou que tinha voltado a Veneza? Como poderia esperar que eu reconhecesse você nessas roupas, fazendo esse tipo de trabalho, vivendo essa vida? Não foi muito simpático de sua parte.

Se ela conseguiu encontrá-lo, as outras também conseguirão — penso.

— Aconteceram muitas coisas desde a época em que éramos pequenos. Você sabe muito bem que eu não poderia ter voltado sem um disfarce. — Ele aponta com a mão para o ambiente ao redor, como se isso pudesse explicar o que quer dizer.

Ela caminha na direção do guarda-roupa. Congelo, com o olho colado à fresta. Ela parece estar olhando diretamente para mim, mas, por sua expressão solene, vejo que não é o caso.

— A maldição da infância — ela murmura. — Eu posso ajudá-lo, Roberto. É por isso que estou aqui. Eu sei de que modo você poderia voltar à sociedade. Sei de um jeito.

— Não acho que seja possível — diz ele. Ele a observa de perto, mãos coladas ao corpo, de um modo desconfortável e nada relaxado.

Carina, ainda de costas para ele, sorri.

— Imagine-se caminhando com altivez na condição de filho do duque. Imagine-se caminhando pela Praça São Marcos em suas roupas mais elegantes, todos sabendo quem é você, e sem que precise temer mais nada.

— Não sei, não — diz ele. — A vida de um pintor anônimo pode ter muito a revelar. — Ele se aproxima de onde estou escondida. Mantenho a mão no peito, controlando a respiração.

Carina olha ao redor da sala simples de Roberto. Julgo ter percebido um olhar de sarcasmo. Seja o que for, o rosto dela fica enrugado e, por um instante, sua aparência é feia.

— Você acha mesmo que merece viver aqui? Desse jeito? Cercado de camponeses?

Ele apoia os punhos nos quadris, do modo como já o vi fazer antes.

— Admito que isto aqui não é para qualquer um.

— Basta que eu abra a boca — ela diz. — Basta que eu fale com meu pai. Você então terá liberdade *e* poder. Ninguém mais dará importância àquela vendeta estúpida. Pelo amor de Deus, isso faz tanto tempo! Não consigo sequer lembrar quem é que começou tudo. Seja como for, eu seria capaz de convencê-los de que nada disso faz mais sentido.

Observo-a dar alguns passos na direção dele e colocar com cuidado uma mão sobre seu ombro. O olhar dele repousa nos dedos dela.

— Sinto dizer que nem mesmo o seu charme será capaz disso, Carina.

— O que aconteceu com nossa amizade? Achei que eu seria a primeira pessoa que você procuraria ao voltar.

— Não foi fácil.

Ele se afasta, mas Carina se aproxima dele novamente.

— Achei que seríamos mais do que amigos. Tinha certeza disso. Já éramos maduros o suficiente para amar quando aconteceu aquela briga terrível, que mudou tudo.

— Nós éramos só crianças na época — diz ele.

— Eu achei que você estivesse morto. — Ela toca no peito dele, desta vez com suavidade, o que me causa repulsa. Desce lentamente a mão até a barriga de Roberto. — Se eu soubesse que você estava vivo nesses anos todos... Ah, eu teria...

Ela tira a camisa dele lentamente, e controlo minha respiração. Ele consente e, centímetro por centímetro, seu torso vai sendo exposto. Uma grande cicatriz em formato de ziguezague se estende por quase todo o lado esquerdo de seu peito bronzeado, terminando perto do coração.

— Carina, pare — ele diz, afastando-se.

— Ah, deixe disso, Roberto. Estou só olhando. — Ela acaricia o peito dele, repousando nele a sua mão. Ele está encostado na porta. Só me resta observar. — Disseram que ninguém conseguiria sobreviver depois de um ferimento como esse.

— O que você está fazendo aqui, Carina? — Seu tom de voz é encorpado, e o pomo de adão se movimenta em sua garganta.

— Estou aqui — ela suspira — porque também tenho um segredo.

— Ah é? — diz ele, arrumando sua camisa.

Carina se vira novamente e olha para o chão.

— Se quer mesmo saber a verdade, faz meses que eu já sabia que você estava aqui. Eu só estava ganhando tempo. Esperando por esta oportunidade para falar com você.

Não consigo ver os olhos dela. Será que está mentindo?

Roberto franze a testa: está tão confuso quanto eu.

— Quem é que lhe contou?

— Arrá! — ela diz. — Você deve saber. Tente imaginar quem foi.

Há um longo silêncio. Roberto olha diretamente para mim e então diz baixinho:

— Beatrice.

— As mulheres são incapazes de guardar segredos — ri Carina. — Você não sabia disso?

— Então ela confiou a você um sério segredo.

— E eu nunca disse a ninguém — diz Carina. — Se bem que poderia ter feito isso.

— Sinceramente, espero que isso seja verdade.

Carina parece ignorar a observação dele.

— E ouvi falar — diz ela — que você se aproximou da outra irmã. Tenho certeza de que você já conhece o estilo do pai dela, seu mau humor, sua possessividade e sua ganância.

O tom de voz dela é carregado de desprezo. Ela o olha com satisfação e com ar de expectativa. Parece inflada por uma espécie de poder.

— Quero que você vá embora — ele diz, caminhando na direção da porta.

Sou invadida por um sentimento de ternura. Gostaria de estar parada ao lado dele agora.

— Beatrice era uma idiota — continua Carina. — E Laura é igualzinha.

A transformação ocorreu bem à minha frente. Carina se despe de seu jeito encantador e vomita brutalidade em suas palavras.

— Beatrice era minha amiga — diz Roberto. — E a irmã dela é muito mais que isso.

Carina dá uma volta ao redor dele e solta uma risada aguda e desagradável.

— Muito mais?

— Sim, muito mais. Eu amo Laura della Scala e acho que ela me ama também.

O corpo de Carina se enrijece.

— Não diga tolices, Roberto. Laura não passa de uma menina de convento. Sem refinamento. Ignorante. *Inexperiente*. Ela não seria capaz de satisfazer o filho de um duque.

— Ela é a mulher mais linda de Veneza — ele diz. — A única coisa que me preocupa é meu receio de não estar à altura dela.

— Bem, se é só isso que mete medo em você, então você é mais idiota do que eu pensava — ela rebate. Mas seus gestos se alteram: ela passa a mão nos cabelos e seu tom de voz fica mais brando, adocicado, denso. — Eu sou viúva. Sou livre. E posso libertá-lo, também. — Ela se aproxima dele novamente, mas ele a empurra.

— Não! — ele diz, abrindo a porta para que ela saia.

— Você não me acha atraente? — diz ela, com um sorriso afetado. — Não acha que formaríamos um belo casal veneziano?

— Por favor, vá embora, Carina.

Ela fica corada. Afasta-se dele e ajeita o vestido. Respira fundo duas vezes e então sacode a cabeça, jogando os cachos para trás dos ombros.

— Está bem — ela diz. — Eu lhe darei tempo. Por toda a cidade há homens que deceparíam o próprio braço para poder se casar comigo. Pense nisso e então me dê uma resposta.

Carina deixa a sala. Ouço o ruído de seus passos lentos pela escada e por fim a batida da porta da frente. Ele retorna e abre o guarda-roupa. Mal pisei no chão e seus lábios encontram os meus, e ele me ergue pela cintura. Ele me carrega até a cama desarrumada.

— Beatrice nunca me contou isso — digo, ainda um pouco zangada por estar diante de mais um segredo.

— Eu pedi a ela que não contasse a ninguém. Deixei minha máscara cair num momento de fraqueza. Ela tinha um coração tão bom, nunca sonhei que ela revelaria isso a alguém.

— Ela confiava em Carina. E eu também.

Na cama estreita, encosto a cabeça no peito de Roberto e enfio a mão sob sua camisa larga. Ele treme de leve quando, acariciando seu peito suave, toco na pele áspera que cobre a cicatriz.

— Doeu muito no momento em que você se machucou?

— Eu mal consigo me lembrar. Estávamos pescando, meu amigo e eu, logo ao amanhecer. Só notamos a presença dos homens quando eles já estavam bem perto. Quando os vi empunhando as espadas, já era tarde demais. Achei que eu tinha simplesmente sido empurrado e caí na água. Só sei que sangrei muito.

Minha mão contorna o traçado de suas costelas.

— Coitado... E você só tinha 11 anos.

— Os homens de Julius partiram, achando que eu estava morto, e meu amigo saiu correndo em busca de ajuda. Não me lembro de alguém ter me tirado da água ou de ter sido levado de volta ao palácio. Mais tarde, tive febre, mas depois que me recuperei eles me mandaram embora imediatamente, junto com Mathieu. Ele cuidou de mim durante anos, em Paris.

— Então, o túmulo na capela...

— Está vazio. Minha mãe insistiu que o caixão fosse lacrado, alegando que eu também havia sido gravemente ferido no rosto. Não mais que um punhado de alguns amigos leais ao meu pai sabem da verdade.

Ergo-me, apoiando-me no cotovelo, e o fito nos olhos. Ele tenta me beijar, mas coloco a mão sobre seu peito.

— Você precisa levar a oferta de Carina em consideração.

Ele arregala os olhos.

— Por quê?

— Se Julius foi capaz de atacar um menino inocente, não verá nenhum problema em matar um homem inocente. O único jeito de acabar com isso tudo é casando com Carina.

— É isso o que você quer? Por favor, não me diga que é isso o que você quer que eu faça.

— É claro que não. Mas é a *sua vida* que está em jogo aqui.

— Laura, se eu me casasse com aquela mulher, não teria mais nenhum momento de felicidade para o resto da vida.

— Mas se você não se casar com ela não poderá ficar em Veneza.

Sei bem que a coisa é mais séria do que isso. Se ele não se casar com ela, não terá segurança em lugar nenhum do mundo. Carina lhe deu um xeque-mate. Agora, ela aguarda que ele considere as alternativas diante de si para perceber que não tem escolha alguma.

— Mas, se eu me casar com ela, não poderei fazer isso. — Ele me beija o ombro. — Nem isso. — Beija meus lábios. — Não poderia sequer segurar estas mãos entre as minhas novamente.

O toque dele me dá arrepios, e não desejo que ele pare. Porém, sob o véu da paixão espreita uma sombra escura.

— Alguém matará você — digo num sussurro. — Eles podem vir atrás de você a qualquer momento.

Ele me beija de novo e diz que tudo dará certo.

— Minha mãe costumava me dizer isso. E ela estava errada.

— Certo — ele diz, pulando da cama. — Vou lhe dizer o que eu farei.

Ele caminha até a escrivaninha e apresenta seu plano. Escreverá para Carina, colocando-a par da situação. Dirá que eles não podem ficar juntos, pois não está apaixonado por ela. Então, quando ela se sentir mais tranquila, ele mesmo conversará com Julius, de homem para homem, para convencê-lo de que a vendeta não tem mais nenhuma validade. Não tenho tanta segurança em relação a seu plano e lhe digo isso, mas ele insiste que tentará. A autoconfiança dele faz com que me entusiasme.

— Mas e os seus pais? — pergunto, lembrando-me da noite em que Julius e Grazia foram expulsos do palácio. — Seu pai conseguiu dissimular muito bem. Bem até demais. Julius ficará furioso.

— Para o meu pai, durante muito tempo foi como se eu estivesse morto. Passei mais de oito anos sem encontrar meu pai ou minha mãe.

— Mas...

— Não tem nada de "mas" — ele diz. — A mágoa de Julius já é uma coisa do passado. Ele compreenderá.

Ele abre uma gaveta e remexe ali dentro. Estica um pedaço de pergaminho cor de creme e mergulha a pena num potinho de tinta preta. Observo-o enquanto escreve uma mensagem recusando a proposta de Carina. Ele diz que sairá para chamar seu amigo Mathieu, que entregará a mensagem a ela.

— Não seja maluco — peço a ele, novamente. — Fique aqui.

Roberto sorri para mim.

— Estarei de volta logo. E trarei uma garrafa de Vin Santo para celebrarmos.

— Celebrarmos o quê?

— Tudo. A vida. A liberdade. O amor.

A hora que passo esperando se transforma num tormento como nunca vi igual. Imagino-o sendo arrastado, ou pior, sangrando numa calçada com meu nome sobre os lábios. Mas logo depois eu o ouço pisando duro nas escadas, e ele irrompe na sala com um sorriso no rosto e uma garrafa na mão. Nós nos abraçamos e ele me faz rodopiar.

— Pronto, está feito — ele diz. — A esta altura ela já está com o bilhete na mão.

Ele serve o vinho, e bebemos da mesma taça. O sabor é doce e encorpado e atenua meu sentimento de medo. Em breve, é possível que todos os dias sejam como hoje.

— Eu me encontrarei com seu pai amanhã — Roberto anuncia.

— Mas para quê?

De repente, sua expressão ganha um tom solene.

— Bem... para lhe falar sobre as minhas intenções. A não ser que...

Coloco um dedo na frente dos lábios dele, rindo.

— Estou brincando, seu bobo.

Ele também ri e tenta morder meu dedo, então dá beijos carinhosos em meu braço, que me fazem cócegas.

O que está acontecendo conosco, tão profundo e precioso, me penetra pelos poros. E já tenho a sensação de que perderei este sentimento e que não terei como recuperá-lo.

— Você acha que ele me dará permissão? — pergunta Roberto.

Não consigo imaginar a cara que meu pai fará ao descobrir que o pintorzinho insolente é o filho do duque. Só me pergunto como reagirá. Lambendo suas botas? Caindo de joelhos?

— Assim que ele conseguir se recuperar do choque! — respondo. — Se conheço bem meu pai, os demais membros do Grande Conselho terão sido informados antes do pôr do sol.

Ele dá um gole na taça do vinho adocicado. Quando nos afastamos, seu olhar é sério.

— Beatrice sentia muito sua falta — diz ele. — Ela estaria feliz por nós dois.

Pronunciado por ele, o nome de minha irmã soa com um desejo secreto. Roberto enxuga meus olhos com os lábios.

— Me desculpe, eu a deixei triste.

— Não, não é isso. Acho que você foi o único motivo de felicidade dela, no final.

Este não é o momento de falar com ele sobre a certeza que me envenena a alma quanto à violência da morte de Beatrice. Afasto o rosto. Ele percebe o que estou sentindo ao olhar para mim.

Está anoitecendo, e alguém bate à porta novamente. Mesmo sem ter visto o visitante, sei que é um homem.

— Mathieu! — diz Roberto.

— Eu atendo — digo, e, antes que ele consiga me impedir, desço correndo as escadas, descalça, e destranco a porta. Parado, diante de mim está um homem de grossas sobrancelhas, aparência sinistra e rosto sombrio — certamente não é Mathieu. Balbuciando, e com a boca escondida sob um cachecol imundo, ele pede para falar com Roberto. Há algo nele que me causa calafrios. Conheço-o de algum lugar e tenho uma súbita premonição em relação a ele.

— Roberto não está — minto.

— Então entregue isto a ele — diz o homem, estendendo-me uma pequena caixa, do tamanho de minha mão. — É da parte de Carina de Ferrara.

Tenho perguntas a fazer a Carina, mas prefiro guardá-las. Seja como for, o homem de rosto sombrio me parece estar fechado a perguntas.

Levo a caixa até o andar de cima e coloco-a na mesa. Ao ver a expressão em meu rosto, Roberto logo se aproxima. Coloca o braço ao redor de minha cintura.

— O que é isso?

— Foi enviado por Carina — respondo.

Abro a caixa. No interior, um pedaço de musselina, amarrado com um barbante. Roberto abre uma gaveta e volta com uma faca. Reparo que uma mancha vermelha escorre pela musseline.

Roberto a tira da caixa e corta o barbante. Separa os dois lados devagar. Seu rosto tem uma expressão de tristeza.

— O que foi?

— Não olhe — diz ele.

Ele inspira e expira profundamente. Há algo que o amedronta, e o medo dele também mexe comigo. Até agora ele sempre riu diante do perigo, e seu riso era como uma rocha à qual eu vinha me agarrando.

— O que ela enviou a você? — pergunto, mas ele não diz nada. Recoloca o pacote com a musseline na caixa e retira dela um pedaço de papel dobrado. Um bilhete.

— Roberto?

O silêncio dele é aterrorizante. Ele lê a carta em silêncio.

— Não! — ele geme. — Não, não...

— Meu querido... O que foi?

Com os punhos cerrados sobre a mesa, ele deixa a cabeça pender. Fico chocada ao ver uma lágrima pingando sobre a madeira manchada.

Não quero tocar na caixa, então dou a volta ao redor da mesa para ficar ao lado dele e espiar o conteúdo do pacote. Dentro do pano, um pedaço flácido de carne ensanguentada, de tonalidade rosa na ponta e desbotado na raiz espessa. De imediato, me dou conta: é uma língua humana.

Capítulo 35

Fecho a caixa com violência e abraço Roberto. Somos tomados pelo terror.

— Mathieu? — pergunto.

— Leia o bilhete — diz Roberto.

Apanho o papel de sua mão frouxa. Há manchas de sangue na borda da página.

Querido Roberto,

A mensagem que você me enviou continha veneno. Por isso, cortei fora o pedaço de carne envenenada. Espero que você entenda como um ato de misericórdia o fato de seu amigo não sentir mais dor, já que ele está descansando no fundo da laguna.

Para evitarmos mais sofrimentos para você e para mim, honre-me com sua presença no noivado de seu irmão e de Paulina. Nesta ocasião, anunciaremos nosso amor a todos os presentes.

Eternamente sua,

Carina

— Eu irei atrás dela — diz ele, prostrado e dilacerado. — Eu farei justiça! — Coloco sua cabeça entre meus braços.

— Não, por favor. Olhe só o que ela é capaz de fazer. Olhe o que ela acaba de fazer.

— Ela assassinou Mathieu.

— Eu sei — digo. — Essa é uma razão a mais para você se proteger.

Minha intuição estava certa. As escolhas dele agora me parecem mais nítidas: ou ele sai de Veneza agora mesmo, na expectativa de não ser perseguido por todo esse mal, ou permanece aqui. Fica e se casa com Carina para pôr um fim à vendeta e salvar a própria vida.

Ele me abraça como se nunca mais fosse me deixar partir.

Uma fria brisa noturna adentra a sala, e é como se nossa conversa fosse um local sitiado, só que com dois amantes, um colocado de frente para o outro, a contragosto. A cada vez que eu avanço com a mesma lógica fria — segundo a qual ele deve fazer o que Carina manda —, ele resiste. Reage dando-me beijos, mas sua defesa e seu raciocínio são frágeis. A fraqueza de seus alicerces fica exposta. Só o amor não basta, e ambos podemos constatar isso. E agora, a cada beijo seu, posso sentir a aceitação em seu coração, à medida que ele recua para dentro de seus muros. Quanto mais perto chegamos da conclusão inevitável, mais nos distanciamos.

— Sua vida está nas mãos dela — digo, e não é pela primeira vez. — Ela pode esmagá-la com uma única palavra.

Este é o poder de um segredo, quase acrescento.

— Prefiro morrer a me casar com ela.

O comentário me deixa acesa, não de raiva, mas com o amor inflamado.

— Não fale assim! Não ouse falar assim. Você não tem o direito.

Ele enxuga minhas lágrimas com o dedo.

— Me perdoe.

— Você não estaria se casando com ela somente por sua causa. Mas por mim também.

Há um tom de perversidade em minhas palavras.

— Se eu fizer isso... se eu me casar com ela, então eu me encontrarei com você.

Concordo acenando com a cabeça, contendo o choro. Sei que ele está mentindo, e lamentavelmente eu o amo por isso. Carina não permitirá que nós dois nos aproximemos.

— Precisamos ser fortes — digo.

— E agora você precisa ir, antes que se deem conta de sua ausência.

Quando estou prestes a partir, sinto o corpo inteiro pesado. Não há mais decisões a serem tomadas. Ao chegar à porta, olho de volta para cima. Ele coloca dois dedos sobre os lábios. Antes de pisar na rua, permito que a dor me cubra como uma mortalha.

Caminhando de volta para casa, ainda sinto o toque de seus lábios nos meus. Longo tempo após ter deixado seu ateliê. Muito depois de ter chegado à residência decadente de meu pai. Muito depois de ter me despido e deitado na cama. Depois disso tudo, sonho com seus lábios sobre os meus.

Nos dois dias seguintes, raramente saio de meu quarto. Os passos de Faustina, subindo e descendo as escadas, são rápidos. Seus pés sempre refletem sua ansiedade, enquanto o resto de seu corpo se comporta como se nada estivesse acontecendo. Sinto o aroma do café da manhã, do jantar e da ceia à medida que as horas passam. Ouço-a atender aos chamados à porta. Ouço-a gritando com Bianca. Mas seus pés a denunciam: ela está preocupada comigo. Já não há nada que ela possa fazer por sua adorada Laura. E, embora ela possa ser tão irritante quanto uma urtiga — como acontece, às vezes, com as pessoas que você ama —, ela tem sido uma mãe e uma amiga para mim. Sob a máscara séria de Faustina existe um oceano de generosidade. Eu confio nela.

Em quem mais eu posso confiar? Em Paulina? Ela tem usado uma máscara desde o momento em que nos conhecemos. Na Segreta? Quase cheguei a acreditar naquelas mulheres, mas isso já é passado. E em Carina... Como é que pude olhar para seu rosto tantas vezes sem perceber o mal terrível que nele espreita?

Pego o pássaro entalhado que Roberto fez para mim. É um objeto de outras eras, de um tempo em que a cegueira me dominava.

Faustina me traz um bilhete e mostra grande expectativa.

— Talvez seja uma notícia boa — diz ela, e fica por perto até que eu o abra.

Laura,

Você não é mais bem-vinda à festa de casamento de Paulina e Nicolo.

Não humilhe a si mesma tentando vir. Espero que esta mensagem tenha sido clara.

Carina

Solto um riso amargo.

— O que é? O que diz o bilhete? — pergunta Faustina.

Jogo-o sobre a cadeira, dando graças pelo fato de Faustina ser analfabeta. Lembro-me do outro bilhete, manchado com o sangue de Mathieu.

— Nada de importante. Mas eu começo a sentir um pouco de fome.

— Graças a Deus — diz Faustina, saindo rapidamente da sala. Para deixá-la feliz, você só precisa lhe dizer que está faminta.

Quando ela sai, pego novamente a carta e a releio. Até aquele instante, ir ao casamento não fazia parte de meus planos. Não conseguia me imaginar encarando o mundo e suas máscaras pintadas, a felicidade artificial de um casamento. Mas este bilhete, com sua elegante presunção, faz com que algo comece a surgir dentro de mim. De uma maneira ou de outra, Carina me instruiu sobre como agir desde aquela noite na festa do duque. Bem, naquela época eu era uma pessoa diferente, e ninguém mais me dirá como devo agir.

Faustina volta trazendo um prato com pão, embutidos, picles e queijo. Além de figos, tâmaras e pedaços de laranja. É comida suficiente para alimentar uma família inteira, e só de olhar para tudo aquilo tenho vontade de rir.

— O que foi? — pergunta ela, ofendida.

— Nada. Eu só estava pensando em qual vestido usar no casamento de Nicolo e Paulina.

— Então você vai? — ela pergunta, franzindo a testa.

— Claro que vou.

Capítulo 36

Coloquei um vestido de seda simples, verde e creme. Pomposo o bastante para uma reunião como esta, mas não tão espetacular a ponto de atrair atenções indesejadas. Tenho que ficar em segundo plano. A festa acontece numa mansão da costa norte, uma propriedade do duque que seu filho herdará. Deparo com o mesmo desfile de nobres ornamentados de antes: mulheres com faces brancas a ponto de parecerem peças de alabastro que ganharam vida; homens exibindo uma satisfação extática. A maioria chega em seus próprios barcos. Outros descem de carruagens, ditando ordens a seus condutores estoicos. Os ruídos e gritos familiares de uma festa como esta soam quase agressivos. Os convidados são recebidos ao som do alaúde e do cravo. Vejo Carina, mas no meio da multidão só consigo distinguir o brilho de seu rosto e seus cabelos ruivos. Mantenho a discrição, colocando o leque diante do rosto. De Giacomo... ou melhor, de Roberto, nenhum sinal.

Um suntuoso tapete vermelho-vivo se estende do grande arco de pedras — através do qual passam os convidados, conversando — até o interior da majestosa casa de Nicolo. Os homens se cumprimentam com apertos de mão efusivos. Mulheres recatadas se reúnem em pequenos grupos, gorjeando como pássaros e dando gritinhos.

Soa o gongo, e os convidados são conduzidos por uma galeria cercada de vitrais na direção de uma capela adjacente à mansão de Nicolo. Vejo Paulina a distância, cercada de um grupo de garotas e mulheres em tons coloridos tagarelando ao seu redor. Sua dama de honra traz nas mãos o cálice nupcial coroado de joias.

Já houve uma época, não faz muito tempo, em que eu teria ficado encantada com as cenas e os sons de uma reunião como esta. Hoje em dia, não sinto nada além de náusea. Fico distante, em pé atrás de um pilar. Nem sequer meu pai sabe que estou aqui.

Nicolo e Paulina são conduzidos pelo bispo — idoso e de corpo arqueado, e primo do próprio duque — por uma plataforma com laços de fita. Paulina está linda com seu vestido muito alvo e um véu reluzente. Nicolo sorri de modo solene num grosso traje de seda índigo. Ambos são cumprimentados com um beijo pela duquesa e pelo duque. O tio de Paulina olha para a frente, tocando de leve nos olhos a intervalos regulares e acenando com a cabeça na direção dos convidados.

A música cessa, e o bispo, com a mitra na cabeça, dá início a uma bênção em latim. Na sequência, profere palavras sagradas sobre a indissolubilidade dos laços do matrimônio e sobre fidelidade. Fala sobre a obediência às leis da Igreja e, finalmente — embora de modo meio enfadonho —, sobre o amor. Paulina e Nicolo não desgrudam os olhos um do outro, e, por um instante, até mesmo minhas preocupações parecem mais leves.

Terminada a cerimônia, promessas feitas, o clima de expectativa toma conta da festa. No momento em que os convidados começam a se dispersar, preparando-se para o banquete no salão principal, o gongo soa de novo.

Surpresa, a multidão observa Carina subir na plataforma. O próprio bispo tem o olhar esbugalhado. O vestido dela é branco e dourado, com saias mais volumosas e luxuosas que as de Paulina. No pescoço, um extravagante colar de diamantes.

— Senhoras e senhores de Veneza — diz ela —, bem-vindos a este evento maravilhoso. — A multidão murmura, parte em sinal de consentimento, parte confusa, mas permite que ela prossiga enquanto dá parabéns ao noivo e à noiva. Por um instante, ela se mostra insegura e diz baixinho: — Tenho mais um anúncio a fazer.

As pessoas se aproximam e trocam exclamações de incerteza.

— O que ela pretende com isso? — ouço um homem sussurrar para sua esposa.

Carina bate palmas, pedindo silêncio, e eleva o tom de voz.

— Por muitos anos, duas das principais famílias desta cidade padeceram sob uma mortalha de luto. Uma dessas famílias é a minha. É desnecessário relembrar aqui o que aconteceu. Isso me entristece, assim como deve entristecer todos os que dão valor a vidas inocentes.

Julius, em pé perto do centro da capela, tem o rosto completamente corado. Grazia segura no braço do marido, e percebo que ela faz um grande esforço para conter sua fúria, dando-lhe tapinhas no braço e pedindo-lhe para ficar quieto. Eu me pergunto se ela tinha algum conhecimento sobre os planos de sua filha. Não consigo ver o duque e a duquesa Besina, mas reparo que alguns se voltam na direção deles, esperando também para ver qual reação terão.

Carina olha para ambos os lados.

— Em nome do amor e do perdão, apresento a vocês meu futuro esposo. — Alguns dos presentes tentam dar início a uma salva de palmas, mas ela não vai adiante. — Venha aqui, Roberto.

Os murmúrios da multidão ganham volume, e então o vejo. Ele caminha de modo formal a partir da lateral do altar, com uma expressão pálida e séria. Carina lhe estende a mão.

Não posso olhar, mas devo fazê-lo. Achei que suportaria esta cena, que meu amor fosse forte o suficiente.

— Roberto? — diz uma voz na multidão. — O que está acontecendo?

É o duque.

De repente, o nome de Roberto está na boca de todos. As pessoas suspiram, incrédulas. O rosto de Carina brilha, ostentando prazer. Observo Roberto segurando sua mão. Ele, que me beijou, acariciou meus cabelos, tocou em meu rosto. O rosto dela parece rígido mesmo quando ela sorri, e o mesmo acontece com sua mão, cheia de aneis. Deve ser uma coisa gélida que ele está segurando na mão.

O que segue é uma cena de terrível comoção. A duquesa corre na direção de seu filho, apavorada, agora, por ele ter sido revelado. Ela fica parada diante dele e seus olhos faíscam, como se estivesse pronta para protegê-lo contra ataques.

A multidão começa a se alvoroçar.

— O filho do duque está vivo!

O bispo tenta, em vão, convencer as pessoas a retomar seus assentos. O mar de gente se dividiu: de um lado, a duquesa em pé, ao lado de Roberto, Carina e o duque; do outro, Julius e Grazia lançam olhares furiosos, cercados pelos que lhes são leais. Há perigo no ar, e a ira que paira no salão pode ser medida pelo calor que emana de ambos os lados.

Carina coloca-se à frente de Roberto.

— Não há motivo para criar confusão ou caos — diz ela.

— Você acha, minha pequena — diz Julius irado, em tom baixo —, que eu consentirei com esse casamento depois de tudo o que aconteceu à nossa família?

— Pai, por favor — responde Carina. — Isso não faz sentido. Nós nos amamos.

Julius parece furioso demais para poder falar. Ele inspira e expira profundamente.

— Você mataria meu esposo? — Carina o ataca.

— Ele ainda não é seu esposo.

— Mas nós nos comprometemos um com o outro. Diga a eles, Roberto. Conte tudo a eles.

Julius balança a cabeça, mas a multidão aguarda, ávida.

Roberto dá um passo à frente, tão belo, tão estranhamente calmo. Ele precisa passar por esta farsa, que terá a duração de uma vida inteira. Concordamos que esta era a medida mais segura a ser tomada, que era melhor assim. Fecho os olhos, pois, embora eu queira ouvi-lo, não consigo vê-lo declarando seu amor por Carina. Não quero ouvi-lo anunciando algo que nos separará para sempre.

— Agradeço-lhes pela oportunidade de falar — diz ele. Neste momento, ouvindo suas palavras, sua polidez e refinamento ficam tão evidentes que mal posso acreditar que nunca reparei nisso antes. — Estive muitos anos longe deste lugar, temendo por minha vida. Quando eu era menino, mal conseguia compreender por que havia sido mandado para longe de minha família, de minha cidade, de meus amigos. Mas um criado fiel me explicou o porquê. Carina me ofereceu um bálsamo que é capaz de curar esta ferida em putrefação que divide nossas famílias e poupar minha vida. Sou grato por isso. — Ele pausa e inspira fundo. — Mas também me sinto envergonhado, pois não posso aceitá-lo.

Abro os olhos. Ele realmente disse o que acho que disse?

Carina tenta manter o sorriso, mas seu rosto está corado.

— Roberto...

— Casar-me com você seria um caminho fácil, mas não farei isso, por razões que você conhece bem. Se o exílio em que estive todos estes anos não foi capaz de aplacar a ira de seu pai, então farei tudo o que estiver ao meu alcance para buscar a reconciliação. Mas não fugirei nunca mais.

Ela sacode a cabeça.

— Isso é um erro. Um erro...

Ele não dá atenção a ela.

— Laura, onde está você? — ele grita, como se estivesse no meio da escuridão.

— Quem é *Laura*? — pergunta uma voz, rompendo o silêncio.

— Estou aqui — sussurro, dando um passo à frente. Uma ou duas pessoas se voltam em minha direção. — Estou aqui — repito, elevando o tom de voz.

Mais pessoas voltam o olhar para mim, e abre-se um caminho entre mim e Roberto. Vejo Paulina, sua boca abrindo e fechando como um peixe que agoniza à beira-mar. Nicolo franze as sobrancelhas.

Carina berra acima do burburinho dos presentes:

— Eu não serei humilhada!

Mas Roberto salta por cima do gradil do altar e corre em minha direção. Ele me estende as mãos e eu o abraço. Ouço seu coração batendo forte.

— Não me importo com o que acontecerá agora — ele diz em meu ouvido.

— Nem eu — sussurro de volta.

Capítulo 37

O SOM DE UMA ESPADA sendo retirada da bainha provoca espanto generalizado. Roberto coloca uma mão em meu braço e com delicadeza me afasta dele. Uma mulher grita e a multidão entra em pânico.

Alguém saca uma segunda espada da bainha, friamente.

Os guardas de Julius se posicionam a seu lado, com os olhos fixos em Roberto. Os nobres maquiados recuam.

Julius balbucia algo, mas só consigo ver seus lábios se movendo. Ele está dizendo algo e repetindo várias vezes. Seu tom de voz se eleva:

— Em nome de minha família. Em nome de minha família.

Seguro na mão de Roberto. Tomei uma decisão. Se Julius quiser matá-lo, poderá fazer o mesmo comigo. Não me importo.

O duque larga a mão da esposa e se aproxima de Julius, chegando a poucos passos dele.

— Meu amigo, ouça o que meu filho está dizendo. Já passou muita água debaixo dessa ponte.

— Você mentiu para mim, para minha esposa, para a cidade *inteira*! — Ele agita o braço na direção da multidão.

— Eu perdi meu filho — diz o duque.

— Mas seu filho foi devolvido a você — rebate Julius. — Você não tem nenhuma autoridade moral aqui, Alfonso.

A multidão suspira diante do uso desrespeitoso do nome do duque, e Roberto olha para mim.

— Laura, o que direi é muito importante — ele sussurra, falando rapidamente. — Você precisa sair daqui. Por favor, mesmo que seja a última coisa que você faz por mim, simplesmente saia devagarinho e não volte aqui. Eu a encontrarei quando tudo acabar.

Mas não sou estúpida. Sei bem o que ele está fazendo e tenho de tomar uma decisão.

— Eu não o deixarei.

— Se você partir agora, talvez nós dois tenhamos mais chances.

Fico parada diante dele. Os homens de Julius se aproximam, e ninguém mexe um dedo para impedi-los. Meu pai olha boquiaberto. Recuo alguns passos junto de Roberto, até sermos encurralados contra a parede.

— Basta! — grita uma voz.

Como deusas vindas de um outro planeta, Grazia e Allegreza, acompanhadas de um grupo de mulheres, se movimentam em meio aos homens. Elas erguem os braços. De repente, seu gesto parece ser mais poderoso do que qualquer espada. Outras mulheres da nobreza, muitas das quais só encontrei sob máscaras, afastam-se de seus maridos e se colocam em volta de mim e de Roberto. Os homens armados hesitam, abaixando ligeiramente suas espadas. Eles não sabem como se comportar diante de um escudo formado por mulheres.

Grazia está em pé diante do marido e coloca as mãos no peito dele.

— Julius, Julius, Julius — ela diz. — Não se deve cometer assassinato na casa de Deus. Nada de assassinatos neste lugar. — Embora ela fale na tom baixo, suas palavras não são uma súplica, nem uma manifestação de esperança. Ela está dando uma ordem. Roberto coloca os braços ao redor de minha cintura. Meus dedos pálidos apertam seu braço.

O rosto de Julius está tenso, e ele gesticula com a mão ao lado da perna, provavelmente um sinal para que as espadas sejam recolocadas nas bainhas. Seus homens lhe obedecem. A duquesa chega correndo com uma expressão imóvel e sombria. Ao chegar até nós, ela toca no ombro de Roberto.

— Vá, meu filho. Imediatamente. — Ele olha para a mãe e então para mim. — Deixe-a, eu lhe peço. — Ela tira minha mão de cima do braço dele e aponta na direção dos assentos dianteiros da capela. — Você deve correr, antes que eles o matem. Vá!

Mesmo assim, ele não se mexe. Tiro o anel de meu dedo, o anel trançado idêntico ao de Beatrice, e coloco-o na mão dele.

— Ouça sua mãe — digo. — Não temos tempo a perder.

Ele parece recém-saído de um transe.

— Eu virei buscá-la — diz, e então segue na direção do fundo da igreja. Olha uma última vez para trás e então desaparece.

Olho ao redor. Allegreza e Grazia vêm a meu encontro. Elas já devem saber o que fiz, o que revelei a Carina.

Viro-me, mas a multidão ao redor ficou ainda maior. Tento escapar, mas tropeço no pano do vestido. Tento levantar, mas Allegreza e Grazia me seguram pelo braço, uma de cada lado.

— Me larguem! — grito, mas acho que ninguém ouve minha voz em meio ao tumulto. — Me deixem em paz!

Tento empurrá-las. Sou forte, mas elas são mais ainda. Elas me conduzem à sacristia ao lado da capela. De sua cruz, Jesus olha fixo para baixo, a cabeça inclinada para o lado, os olhos refletindo a paixão e o sofrimento.

— Não há necessidade de lutar — diz Allegreza. — Você precisa parar de lutar!

Tento morder seu braço e ela me larga. Talvez ela saque um punhal por debaixo do vestido e o pressione contra minhas costas. É possível que eu seja assassinada aqui mesmo.

— Você matou minha irmã! — digo, voltando-me para Grazia. — Eu sei que foi você. Não sou a menininha estúpida do convento que você achou que eu fosse. Não mais.

As duas mulheres se entreolham com uma expressão que não compreendo. Allegreza chega a esboçar um sorriso.

— Do que é que você está falando, minha pequena?

— Você matou Beatrice! — digo, apontando a cabeça na direção de Grazia. — Eu a vi dando dinheiro à mulher que usava o anel de minha irmã. Bella Donna. Eu a vi fazendo isso bem ao lado do túmulo do filho dela. Eu estava lá.

Grazia olha para o chão e junta as mãos diante do peito de modo solene. Fico mais tranquila, pois acho que ela parece envergonhada. É um alívio poder colocá-las diante da verdade. Não importa o que acontecerá a seguir. Allegreza parece ter ficado ainda mais confusa.

— Um anel?

Um sinal de hesitação em seu rosto faz diminuir minha certeza. Conto a ela sobre meu anel e sobre tê-lo visto na mão de uma mulher que só podia ser uma prostituta, considerando as roupas indecentes que usava e seus cabelos desgrenhados. Digo a elas tudo o que sei, o que aconteceu naquele dia em São Marcos. Quando termino, Grazia está pálida. Ela balança a cabeça e me encara.

— Não é nada disso que você está pensando, Laura — diz ela. — Sei bem o que você viu, mas Bella Donna não é nenhuma assassina. Juro.

— Ela pode não ter sido a pessoa que praticou o crime, mas agiu como intermediária para vocês.

— Nossa intermediária... com quem? — pergunta Allegreza.

Novamente, uma expressão de incredulidade irônica se estampa no rosto delas. Se elas estão só fazendo cena, estão representando muito bem. De repente, não tenho mais certeza de nada. Tenho vontade de confrontá-las, mas uma estranha fraqueza toma conta de mim.

— E por que eu deveria acreditar em vocês? — pergunto.

— Porque somos membros da Segreta — ela responde. Para mim, a resposta não tem lógica, mas estranhamente parece conter alguma dose de verdade profunda e incontestável.

— Fiquei sabendo que Beatrice procurou por vocês — digo.

Allegreza levanta o queixo e me olha.

— Sim, é verdade. Se você quiser saber mais detalhes a respeito, terá que vir conosco.

Contrariando meu instinto, eu as acompanho, deixando a capela e os ruídos, que se transformaram num zumbido tipicamente masculino.

— Ah — diz Allegreza. — Eu conheço esse som. É o som que os homens fazem quando uma briga acaba de ser evitada.

Grazia coloca a mão em meu braço.

— Você sabe, em menos de uma hora eles estarão todos juntos numa taverna, bebendo.

Allegreza ri.

— Sim, e dando tapinhas nas costas uns dos outros, relatando as histórias que presenciaram, exagerando seu relato só para agradar àqueles que não estavam presentes.

O tom irreverente de seus comentários não me parece ser uma linguagem usada por assassinas.

Elas me conduzem até a casa de Allegreza, ali perto, e até seus aposentos privativos. Uma brisa sopra no salão, e numa mesa redonda há uma fruteira enorme com frutas frescas. Três cadeiras foram dispostas em forma de semicírculo junto à ampla janela de frente para a laguna. Allegreza me convida a sentar. De início, recuso, mas assim que as duas se sentam eu me sinto idiota e as imito.

— É verdade, Beatrice nos procurou — Allegreza explica. — Na noite em que morreu, ela esteve num dos locais onde nos reunimos na cidade. Assim como você, ela estava desesperada em relação a seu iminente casamento com Vincenzo.

Então não foi Roberto que ela visitou. Imagino minha irmã deixando a companhia de Faustina naquela noite e percorrendo solitária seu trajeto por entre as ruas escuras. Eu me pergunto se estava tão amedrontada quanto eu.

— E vocês não a ajudaram? — pergunto.

Allegreza balança a cabeça.

— As regras da Sociedade são rígidas e vêm de longa data. Beatrice não tinha nenhum segredo a revelar. — Ela abaixa os olhos. — Então, não podíamos ajudar.

Seu tom de voz é prosaico sem ser insensível. Suas palavras soam tristemente sinceras. Eu já estive no lugar de minha irmã e senti os rostos mascarados da Segreta me impelindo para fora da sala. Eu voltei atrás, claro, agarrando-me a meu segredo sobre o duque como se fosse a chave de minha liberdade. Beatrice não fez isso, pois o único segredo que ela tinha era aquele que eu mesma ouvi da boca de Cecile. Beatrice sabia *tudo* sobre Roberto, mas se recusou a revelar isso a *elas*. Meus olhos se enchem de lágrimas quando imagino minha irmã voltando para ir encontrar Faustina na ponte, sob o fardo da responsabilidade de ter de conviver, no futuro, com Vincenzo. Ela foi mais corajosa do de eu, isso é certo. Minha pobre e leal irmã, que preferiu viver infeliz a ter de trair alguém, revelando seu segredo.

— Não deixamos de sentir compaixão — diz Grazia. — Quando soubemos da morte dela, ficamos profundamente entristecidas. Se ela decidiu pôr fim à própria vida, é porque sua infelicidade devia ser profunda.

Lanço um olhar penetrante na direção delas.

— Minha irmã não se suicidou. Alguém a atacou e retirou o anel de seu dedo. — Conto a elas sobre a terrível provação de Faustina, sobre o homem de dentes dourados em meio às sombras, que a segurava pelos braços enquanto Beatrice se afogava. — Alguém retirou o anel dela, e agora aquela mulher... Bella Donna... — Olho para Grazia, à espera de um novo confronto, mas ela não reage. Apenas balança a cabeça.

— Laura, Bella Donna é uma boa mulher. Você interpretou de modo errado a cena que viu naquele dia.

Acho que interpretei tudo errado.

— Então, o que foi que eu vi?

Grazia respira fundo e então explica, num tom baixo e vacilante, sua lamentável ligação com Bella Donna. Não é nada do que eu imaginava. O casamento dela com Julius, segundo ela, nunca foi feliz. Mas, assim como ocorre com muitos casais em Veneza, a união dos dois trouxe privilégios e benefícios às suas respectivas famílias. Depois de poucos meses, ela ficou grávida e Deus os abençoou com o nascimento de um filho, Carlo. Este era ainda menino quando Julius iniciou um caso com a filha de um respeitado conselheiro. A pobre mulher engravidou e, pior ainda: achou que estava apaixonada. Ela conseguiu esconder a gravidez de sua família, mas a Segreta interceptou uma carta que ela enviara a Julius. Grazia não ficou zangada, pois não havia amor em seu casamento. Sentiu pena da mulher e foi ao encontro dela. O relacionamento entre as duas ficou mais íntimo, mas então, temendo a vergonha de ser descoberta, ela desapareceu.

— E esta era Bella Donna? — pergunto.

Grazia nega, balançando a cabeça.

— Era a mãe de Bella Donna.

— O que aconteceu a ela?

Os olhos de Grazia se enchem de lágrimas.

— Ela teve o bebê em condições miseráveis, e então, em desespero, se enforcou.

— E Bella Donna cresceu vivendo nas ruas?

Grazia enxuga as lágrimas.

— Durante certo tempo ela foi criada por freiras, mas depois fugiu. Eu a ajudo sempre que posso, e ela me ajuda. Em muitos aspectos, eu a considero uma filha, mais do que Carina.

Se ela soubesse quanta verdade essas palavras carregam... Mas não me comovo com a infelicidade dela. Também me sinto uma idiota. Se o que ela está dizendo for verdade — e não tenho como duvidar disso —, então o julgamento que fiz dela é totalmente equivocado.

— Podemos ajudá-la a encontrar o assassino de sua irmã — diz Allegreza. — Mas você precisa confiar em nós.

Olho para a laguna e suas águas verdes em movimento.

— Eu tenho alguma escolha?

Capítulo 38

Tomamos chá de camomila e alfazema enquanto o sol se põe feito uma bola dourada no horizonte. Digo a elas que meu pai logo estará à minha procura e imagino-o andando alvoroçado pela casa, esbravejando promessas e maldições, jurando expulsar sua filha de casa, arrependido do dia em que a tirou do convento.

Allegreza diz que cuidará disso e escreve um bilhete dizendo a ele que estou segura e sob sua proteção.

— Isso deve bastar para que ele não fique preocupado — ela diz, despachando um criado até a casa de meu pai. — Ainda temos negócios a tratar hoje, e, como membro da Sociedade, você deve nos acompanhar.

— A uma reunião da Segreta? — pergunto.

— Sim, algo desse tipo — responde Grazia, olhando para Allegreza. — Eu irei na frente.

Depois que ela sai, Allegreza busca minha máscara, que, segundo ela, foi recuperada no dia em que saí da capela às pressas.

— Achei que nunca a usaria de novo — digo.

Ela dá um sorriso enigmático.

Já é tarde quando deixamos a casa, e, enquanto caminhamos juntas em meio às sombras das ruas, Allegreza me diz que estamos indo à casa de Grazia e Julius. A casa onde Carina cresceu. Ela me delineia um plano que me parece insolente e audacioso. Após um breve trajeto de gôndola, no meio da escuridão, duas criadas nos recebem no local de desembarque e nos conduzem para o interior da casa. Esta é parecida com a casa de meu pai, só que mais abastada, e numa sala no subsolo, que parece ser uma espécie de escritório, as mulheres mascaradas estão reunidas.

Grazia gesticula com o dedo para Allegreza e eu ficarmos ao lado dela e sussurra algo às nossas acompanhantes, que desaparecem feito fantasmas.

— Temos coisas que precisam ser resolvidas esta noite — ela diz.

Numa rara demonstração de afeto, Allegreza coloca o braço sobre o da mãe de Carina.

— Estamos prestes a fazer uma coisa boa, Irmã.

Grazia consente com a cabeça.

— Minha filha enlouqueceu. Mas salvarei meu marido. Sigam-me.

Ela conduz a fila de mulheres pela saleta e até o andar superior, por uma escada sinuosa. Os vestidos se arrastam pelo chão como suspiros abafados. Tenho a sensação estranha de que agimos como *voyeurs* ao invadir a casa desta maneira. Grazia abre a porta de uma sala. No interior, a escuridão é total. Há grandes cortinas nas janelas altas, abafando os roncos de um homem. Uma cama alta, coberta por uma rede, se impõe no aposento. E o homem grande nela deitado não tem nada da dignidade ou da nobreza de uma pessoa bem-vestida, penteada e formal. Ali se encontra uma massa disforme, fazendo ruídos estridentes e babando, sem consciência de que seu repouso está prestes a ser perturbado.

— Acorde! — diz Grazia, sob a máscara.

Julius se revira com um grunhido e ela repete a ordem, dessa vez com mais veemência e mais alto. Ele se senta, os olhos ainda fechados. Devagar, abre os olhos, tentando espiar no meio da escuridão.

— Meu bom Deus, em nome de tudo o que é sagrado, o que é...? — ele grunhe. Sua voz é sonolenta, mas estridente, em pânico. Ele faz um esforço para sair da cama, e se levanta. — Quem são vocês? Como ousam? No meio da noite! O que querem?

— Não temos a intenção de machucá-lo, mas você precisa nos ouvir — diz Allegreza.

— Claudio! — ele berra. — Ricardo!

— Os criados foram dispensados — diz Grazia.

Seu rosto fica vermelho de raiva.

— Minha própria esposa me ameaçando. — Ele cerra os punhos e relaxa. Cerra-os novamente e relaxa. Eu me pergunto se poderemos detê-lo caso recorra à violência. — Bem, digam o que têm a dizer.

Grazia pigarreia.

— Você terá de esquecer as juras de vingança à família do duque. Terá de suspender a ameaça que fez ao filho dele.

Ele ri.

— Não suspenderei vendeta alguma só porque minha mulher está me pedindo para fazer isso. Leve esse bando de bruxas daqui antes que eu tenha de tomar providências.

Mas Grazia se mostra imperturbável e determinada.

— Não estou aqui como sua esposa, Julius. Estou aqui na condição de uma mulher de Veneza. Ou você suspende a vendeta ou será exposto à vergonha pública.

— Que vergonha? — Ele se irrita, ainda sonolento, mas a voz mostra sinais de nervosismo também.

— Quer que eu conte à cidade inteira sobre a queda que você tem pelas filhas de seus colegas do Conselho? Quer que eu torne pública a carta que Irina di Lombardi lhe enviou anos atrás?

— Irina di Lombardi?

— Imagino que você se lembre do nome. — ela diz. — Mas me pergunto se você reconhecerá sua filha.

— Isso é mentira! — diz Julius, mas sua voz é hesitante.

Outra mulher dá um passo adiante, à frente das demais. Ela retira a máscara. Uma máscara simples, laqueada de vermelho e com linhas pretas gravadas em espiral. Tenho um sobressalto ao mesmo tempo que Julius. É a mulher. Bella Donna.

— Minha mãe me largou na cela de um convento no dia em que se matou — ela diz.

— Fique quieta, mulher — ele diz, mas parece abalado.

— Por quê? Todos aqui sabem que isso é verdade. É o segredo que me mantém ligada a estas mulheres. Você não pode tirá-lo de mim. É meu.

É quase visível, no rosto de Julius, o conflito entre sua reputação pública e a ira que sente. Embora sua ira ainda seja dilacerante, está ciente de que as mulheres o venceram.

— Não pense que pelo fato de ser sua esposa eu não possa trazer a público seu segredo imundo — diz Grazia. — Tudo o que construiu, seus negócios, seu status no Conselho... eu o verei ser despojado disso tudo.

— Você faria mesmo? — ele pergunta, incrédulo.

— Nós perdemos nosso filho — diz Grazia. — Nossa filha é uma estranha para nós. Não ganhamos nada com a raiva além de sofrimento.

Julius desaba sobre a cama. De repente, voltou a ser nada mais que um velho. Sua respiração é ofegante, como se a qualquer momento estivesse prestes a gritar novamente. Repousa os punhos cerrados no colo. Sou capaz de imaginar seus pensamentos: uma mistura de vergonha, medo e raiva. O gosto da humilhação, mas também a perspectiva de reconciliação. Se ele tem alguma semelhança com meu pai, deve estar se perguntando como pode reverter tudo isso a seu favor.

Por fim, ele olha novamente para a esposa.

— Muito bem — diz ele, franzindo a testa. — Farei uma declaração no Conselho amanhã de manhã. Suspenderei a vendeta, se é isso que vocês querem. Agora, deixem-me em paz. Será que um homem não pode mais dormir em paz em sua própria casa?

Saímos em silêncio. À porta, olho para trás e vejo o pai de Carina puxando os lençóis para cobrir a cabeça.

Do lado de fora, à beira do canal, as mulheres se dispersam pela noite como sombras penetrantes. Uma delas permanece ao lado de

Grazia junto à porta da casa, segurando sua máscara laqueada e observando-me, atenta. Bella Donna. Grazia acena para ela com a cabeça e ela se aproxima lentamente. Ficamos paradas alguns instantes, uma olhando para a outra.

— Sinto muito — digo a ela, pois não há nada mais a dizer.

Lentamente, ela tira o anel do dedo. É apenas um pequeno objeto, mas ele tem me perseguido em meus sonhos e tem sido a raiz de grande parte de meu sofrimento. Ela me estende o anel. Coloco-o em meu dedo e ele se acomoda no lugar do anel que dei a Roberto. Um anel trançado, dourado, aconchegante.

Grazia fecha a porta, deixando-nos sozinhas.

— Nós o apelidamos de "Boca Dourada" — ela me diz. — O homem que me deu o anel. Todas as garotas o conhecem. Seus dentes são revestidos de ouro, e, embora ele seja um bruto... Bem, ele paga o preço pelas coisas que faz.

Sinto-me idiota e envergonhada. Posso ter muitas queixas em relação a esta mulher, mas a vida dela tem sido pior do que eu seria capaz de imaginar.

— Onde posso encontrar esse homem? — pergunto.

Bella Donna balança a cabeça.

— Mesmo que eu soubesse, eu não lhe diria. Ele não é um homem, como posso dizer? ... que se possa menosprezar.

— Acho que ele matou minha irmã — digo.

— Então ele também a mataria — ela responde. — Eu o conheço e conheço seu tipo de gente: cruel, sem consciência. Para ele, seria banal cortar seu pescoço e deixar Veneza no primeiro navio cargueiro.

Ficamos ambas em silêncio, enquanto os conselhos dela pairam no nevoeiro sobre a água. É claro que, sozinha, não posso prender e mandar esse monstro a julgamento, mas meu pai poderia chamar os guardas da cidade. Eles têm armas. Seriam capazes de deter o assassino de dentes dourados.

— Não tenho orgulho disto em que acabei me transformando — Bella Donna me diz, olhando para a água.

Coloco a mão em seu ombro e o aperto delicadamente.

— Você não me devia nada e me deu tanta coisa — digo. — Eu serei eternamente grata.

Tiro três moedas de prata de minha bolsa e as ofereço a ela. Elas brilham à luz da lua como estrelas cadentes.

Bella Donna sorri.

— Fique com elas. Pode precisar delas mais do que eu.

Observo-a enquanto sua silhueta, uma sombra orgulhosa, desaparece na noite.

Capítulo 39

— POR QUE VOCÊ NÃO ME DISSE que ele era o filho do duque? Você deveria ter me dito, sua garota estúpida!

Estou farta das paredes da casa de meu pai. Cada um de seus quartos se parece com meu velho quartinho no convento.

Por mais que eu lhe diga que não sabia, não faz qualquer diferença. Preciso enviar uma mensagem a Roberto imediatamente, para lhe dizer que ele está salvo. Que a espada que pairava sobre sua cabeça foi recolocada na bainha.

— Eu expulsei o *filho do duque* de nossa casa! — Ele agita as mãos no ar.

Estou farta das paredes que me cercam aqui, mas estou ainda mais cansada do ritual de "sim, pai; não, pai", que contribuiu para me manter aprisionada. Embora isso possa ser errado, embora possa atiçar ainda mais sua ira, decido não mais tolerar seu comportamento.

— Ah, mas você é um homem tão ridículo... Nossa casa está caindo aos pedaços, você perdeu sua fortuna e a culpa disso tudo é somente sua.

Bianca deixou uma fruteira na mesinha de centro, ao lado dele. Ele a pega e a atira contra a parede. Seu acesso de raiva deixa como marcas manchas de pêssego e nectarina, que escorrem pela parede.

— Eu já estou farto disso! — ele berra.

— Dá para ver — digo, tentando manter a calma. — Pretende me bater de novo?

— Você me respeitará. Vá para seu quarto!

Subo rapidamente as escadas, ignorando seus passos irados atrás de mim. Sento em minha cama amarrotada. Ele bate a porta e ouço-a sendo trancada.

Está escuro e eu me sinto tensa, sem sono, sentada à janela. Lá fora, a lua é cheia de uma pálida compaixão. Ele está lá fora, em algum lugar, escondendo-se de medo. Eu deveria estar ao lado dele. Minutos depois, alguém bate levemente à porta.

— Sou eu, querida.

Faustina. Chego à porta no mesmo instante em que a chave gira. É um alívio olhar para seu rosto suave. Nós nos abraçamos.

— Como é que você conseguiu pegar a chave dele?

Ela sorri.

— A velha Faustina tem suas estratégias — ela diz, dando tapinhas na lateral do nariz. — Ele está lá embaixo, por isso temos que falar baixo.

— Mas ele disse que eu não deveria sair até ele mandar. Você se meterá numa encrenca danada.

— Oh, querida — ela diz, acariciando meu cabelo. — A maior sabedoria que ganhamos com a idade é que você sabe quando chegou a hora de romper com as regras. Ouça bem, não temos tempo para jogar conversa fora. — Ela vasculha por entre suas roupas e pega um pergaminho. — Aqui está; foi entregue esta tarde.

O selo está manchado e não consigo decifrar o timbre. Abro-o, mas a letra tampouco me é familiar. Seja quem for que escreveu, estava com pressa: a letra é um garrancho. Enquanto leio, meu coração abatido ganha vida novamente:

Minha tão querida Laura,
Venha me encontrar agora mesmo e não peça conselhos

a ninguém. Venha sozinha até uma barca no porto de Santa Lúcia. Estarei esperando por você lá.

Que meu amor possa trazê-la rapidamente.

Roberto

— É uma mensagem dele! Ele está esperando por mim. Preciso ir.

Faustina consente com a cabeça e sorri.

— É claro que precisa.

À luz de uma vela, na escuridão do quarto onde cresci, Faustina e eu planejamos minha fuga. Ela sai do quarto na ponta dos pés e volta trazendo um pacote. Abro-o e dele cai um traje masculino, marrom.

— O quê? Isto é para mim?

— Pertencia ao velho Renato. Você não pode correr o risco de ser reconhecida por seu pai ou pelos amigos dele. Ande logo, vista.

Faço um esforço para caber nestas roupas estranhas. Calça marrom sobre minha roupa de baixo rendada. Uma camisa branca de algodão, mais rústica do que as usadas por Giacomo, meu artista; Roberto, meu príncipe. Uma jaqueta escura, que coloco sobre as costas. Enrolo meu cabelo desgrenhado num coque. Olho para o espelho e rio. Estou parada em meu quarto, parecendo um garotinho com rosto de bebê. Em menos de uma hora, Roberto e eu estaremos juntos e nenhum obstáculo será capaz de nos separar novamente.

Não posso descer pela escada principal, pois meu pai pode me ver, então Faustina e eu improvisamos uma corda feita de lençóis. Ela testa todos os nós, apertando bem cada um deles com suas velhas mãos, certificando-se de que estão bem seguros. Amarra a ponta no espaldar da cadeira e coloca-a no parapeito da janela. Abre a janela e joga a corda improvisada na direção do jardim.

— Você já sabe para onde está indo, minha querida?

O significado de suas palavras é completamente outro. Nós duas sabemos que talvez eu não volte.

— Sim, sei.

— Tenha cuidado, meu amor.

Ela abotoa minha jaqueta e coloca um cacho solto de meu cabelo sob o chapéu.

Desço pela corda, usando os nós como degraus. Ao pisar no jardim, minhas mãos estão queimando. A corda é puxada de volta, e sopro um beijo de despedida à minha velha e querida Faustina.

Enquanto corro, mantenho a cabeça abaixada. Teria sido divertido ser um garotinho de Veneza. As ruas estão vazias e silenciosas, a não ser pelo eco de meus passos.

Sozinho, um homem espera numa gôndola afastada das demais. Ele é bem alto. Seu amplo chapéu lhe projeta uma sombra circular sobre o rosto e ombros, de modo que não consigo ver sua aparência. Mesmo assim, ao vê-lo me sinto confortada: este é o homem que vai me levar ao meu Roberto. Meu coração está praticamente cantando. Dirijo-me até ele.

— Laura? — ele murmura com os olhos brilhando em minhas roupas de menino.

Foi Roberto quem o enviou aqui.

— Sim, sim, obrigada — digo, subindo na gôndola. Enquanto me acomodo no assento, ela balança sobre as águas calmas e transparentes.

Dizem que ninguém consegue se cansar da vista noturna de Veneza. O brilho e a beleza ao redor lhe trazem uma surpresa a cada esquina, não importando quantas vezes você já viu a cidade na escuridão. À medida que passamos sob cada uma das pontes e ele se agacha na popa, sinto minha felicidade crescer. Os demais gondoleiros nos saúdam em silêncio para não perturbar o sono dos cidadãos. *Tudo ficará bem*, sussurra a voz de minha mãe. No final das contas, ela estava certa.

Dá quase para sentir as mãos de Roberto em volta de minha cintura e seus dedos me afagando os cabelos. Meu anseio de revê-lo é como uma ferida acalentada, profunda e deliciosa.

Estamos agora numa parte da cidade que não conheço. Não conheço os canais secundários da cidade tão bem quanto esse homem.

Acho que estamos seguindo até Santa Lúcia por um caminho pouco conhecido. Chegamos ao porto.

Uma barca está ancorada num grande poste de madeira, a trinta metros da margem, nas águas brilhantes. Ela brilha sob as luzes fracas. Faço um esforço para tentar enxergar Roberto no deque e por um instante me pergunto se ele já está a bordo. Enquanto a gôndola corta as águas, encurtando a distância entre nós e a barca, consigo visualizar reluzentes lampiões em suportes de metal ao lado dos suportes dos remos.

Na lateral da barca há uma pequena escada e, com um movimento hábil de remo, o gondoleiro me deixa na margem.

— Obrigada. Muito obrigada — digo novamente, e a luz dos lampiões cintila. Dentro da cabine semicoberta também há velas. Quando dou o primeiro passo na escada, a luz da vela ilumina a sombra sob o chapéu do gondoleiro e um sorriso se abre em seu rosto. Meu coração palpita, fraco e frenético como o de um pássaro encurralado. O sorriso sinistro se alarga, e vejo seus dentes.

Seus dentes dourados.

Capítulo 40

Subo a bordo rapidamente, tropeçando no deque, com os olhos fixos no homem que — tenho certeza — matou Beatrice. Reconheço agora, também, o formato de seus ombros: foi ele quem mandou entregar a língua de Mathieu. Sou tomada pelo pânico, enquanto minhas pálidas lembranças começam a ficar mais claras. O homem de chapéu preto, que parecia estar me observando...

Ouço passos que me fazem dar meia-volta, e a sensação de terror cresce. Carina surge na outra extremidade da cabine com o cabelo todo desgrenhado, num vestido branco e dourado, rasgado. Está descalça. Desliza pelo deque feito um fantasma.

Quando a verdade fica clara, sinto náuseas. O bilhete! Havia algo de estranho nele. Um tom pouco amistoso e controlador, que eu deveria ter percebido. Jamais poderia ter sido escrito por ele.

O homem de dentes dourados tira o chapéu e alisa o cabelo.

Minha mente se agita diante de alternativas ruins. Pular pela lateral do barco? Eles me pegariam num segundo. Gritar pedindo socorro? Cortariam minha garganta. Lutar? Impossível. Ele cortou fora a língua de um homem.

— Obrigada, Chrixos. — Carina fala num tom de voz normal, como se estivesse dispensando um criado numa sala de jantar. — Pode ir agora. Faça como eu lhe mandei. Roberto estará à sua espera.

Observo-o empurrando o barco canal adentro, com seu longo remo, como Caronte atravessando o Rio Estige para me deixar na margem, junto dos mortos.

— Faz tempo que ele a vem seguindo — diz Carina — no trajeto de ida e volta às suas reuniões secretas.

— Onde está Roberto? — pergunto.

Carina sorri, com as mãos juntas dentro do vestido. O ar está gelado neste porto amplo. Ela inclina a cabeça e me olha de modo enigmático.

— Você está vestida de um modo estranho, Laura.

— Onde está ele? — repito.

— Roberto foi se encontrar com *você* — diz Carina. — Na Catedral de São Marcos. Seu amado, que você seduziu com tanta avidez, está à sua espera. Mas ele terá uma pequena surpresa. Foi um truque simples, mas um tanto quanto inteligente, não acha?

Levo as mãos à boca. Deixo escapar um pequeno suspiro.

— Ah, a paixão e as torturas dos amores juvenis! — Ela ri. O som de seu riso é horrível, macabro. — Você é mesmo uma garota muito tola. E Roberto... tão cego. Mas não se preocupe, Chrixos abrirá os olhos dele.

— Por que você faria isso? O que ele fez a você?

— O que ele fez? *O que ele fez?* Ele me humilhou diante de toda Veneza! Ele me enganou, fingindo ser aquele pintorzinho miserável. Mas não sou tola. Eu sabia disso. Antes mesmo de erguer a camisa dele e de ver a cicatriz naquele belo peito que ele tem. Sabia disso antes mesmo de você sair do convento.

Uma tristeza profunda me abate.

— Você assassinou minha irmã, não é mesmo? Você fez isso porque achou que ele a amava.

Ela fala com os lábios torcidos. O suor lhe escorre pelos lados do rosto. Remexe os dedos.

— Ela não era boa o bastante para ele. Eu ainda era menina quando meu pai prometeu minha mão a Roberto. Era para ter sido assim, até que essa... essa *politicagem* toda atrapalhou tudo.

— Você pode dar um fim a tudo isso. Você não precisa piorar as coisas. Por favor, me deixe ir vê-lo — imploro.

Ela avança em minha direção.

— Deixá-la? Eu o salvei. Eu cuidei de você. E como é que você me retribui? Com a traição. Se não fosse você, tudo isso teria sido muito mais fácil.

Ela se atira em cima de mim. Sinto um calor agudo no ombro. Grito e vejo um punhal na mão de Carina. Ela investe de novo, tentando me golpear, e caio contra a borda do barco. Os lampiões instalados nas duas laterais do deque projetam uma luz que dança e brilha. Um deles cai e se espatifa.

Quando ela se precipita em cima de mim, agarro sua mão — que um dia já segurei em sinal de amizade. Torço seu braço o mais que posso. Debato-me, agarro-me a ela e rezo. Lutamos, entrelaçadas num abraço de ódio. Ela me ameaça com o punhal, cuja ponta treme quando ela coloca todo o seu peso nele, arreganhando os dentes. Penso em Roberto. Tento reunir toda a minha energia e determinação. Contorcendo o corpo, consigo jogá-la contra a beirada do barco e o punhal é atirado para longe, no deque.

Ela se lança sobre mim e suas mãos agarram minha garganta. Enfio meus dedos debaixo dos dela, tentando afastá-las, sentindo a respiração me faltar. Mal me dou conta das labaredas atrás de nós, lambendo o piso de madeira da cabine.

— Sua vadia — ela destila seu veneno. — Calculista. Gananciosa. Depravada. Vadia.

Ela me empurra, e cambaleamos juntas numa espécie de dança embriagada. Caio com tudo no deque e ela se coloca sobre meu peito, uma perna de cada lado, apertando as mãos contra meu pescoço novamente. Começo a ver pontos negros e brilhantes. É esta a sensação da morte? É isso que Roberto também sentirá dentro de instantes? Pensar que ele possa sofrer mais do que eu me parte o coração. Com Carina em cima de mim, sinto algo me tocar as costas e me dou conta: o punhal. Desesperada, consigo enfiar a mão sob minhas costas e toco o cabo da arma. Carina urra, pressionando as unhas em meu pescoço.

Enfio a faca por dentro do vestido de Carina e, sem muita força, eu a golpeio num ponto qualquer de suas costelas. Ela me larga, gritando e agarrando-se ao chão do barco. Sinto a brisa do ar fresco.

Vejo nos pés dela um brilho estranho, e seus gritos de dor se transformam numa coisa bestial e aterrorizante. O fogo atinge seu vestido. As chamas sobem rapidamente pela bainha e então parecem dar um salto, dourado e lívido, até a cintura. Uma mudança na direção do vento traz uma nuvem de fumaça, que me deixa prostrada, tossindo.

Ela geme e se debate. Tenta correr às cegas, mas isso só a joga mais fundo no interior da fornalha em que se transformou o barco. Vejo sua boca contorcida em meio às chamas que atingem seus cabelos.

Por um instante, fico paralisada com a visão dessa deusa incandescente berrando de cólera e medo. Mas Carina não pode ser salva. Se eu continuar aqui por um segundo a mais, serei queimada também. Levanto-me com dificuldade e vou até o gradil da proa. Os gritos de Carina pairam no ar, junto das lascas de cinzas do barco em chamas. Dou um salto.

A água me refugia em meio a um silêncio repentino, mas logo depois sinto um calafrio. Chego à superfície, em pânico, e olho para trás. Os gritos de Carina vão diminuindo, transformando-se num lamento que inspira piedade, enquanto uma parte da cabine desaba, espalhando uma torrente de brasas vermelhas. Começo a nadar sem olhar para trás.

Assim que chego à margem, subo pela lateral escorregadia, pingando, encharcada. Sei para onde devo ir. Corro, movida pela esperança no coração que, a qualquer momento, pode ser tragada pelo terror iminente.

Ruas secundárias, caminhos sinuosos. Meu pânico se avoluma a ponto de parecer uma pessoa correndo a meu lado. Um companheiro assustado, mostrando-me o caminho enquanto sigo apressada, horrorizada e ofegante rumo a meu destino.

Quando chego ao retângulo torto da Praça São Marcos, assustada, tenho certeza de que é tarde demais, mas não paro. O relógio mostra: são passados alguns minutos após as 3h da manhã, e não há ninguém por perto para ouvir meus passos. Meu corpo deve estar frio, mas o fogo ainda queima dentro dele. Encontro as portas da catedral fechadas com ferrolhos. Mas nem mesmo o grande pórtico de São Marcos será capaz de me deter no último obstáculo. Corro ao redor, pela lateral da igreja. Sim: há uma pequena porta entreaberta. Adentro o interior escuro.

A escuridão é total, à exceção do luar que atravessa as janelas.

— Roberto? — sussurro. Tenho a impressão de ter ouvido um ruído, mas deve ser apenas o ranger da porta atrás de mim. Dou passos curtos e rápidos ao longo da lateral da nave, fazendo uma pausa em cada um dos pilares. O silêncio do lugar é como algo sólido. Imagino sentir o cheiro de vestígios de Roberto, aquela mistura de tinta e madeira. Ele esteve por aqui. Mas, a essa altura, talvez Chrixos também já tenha chegado... Sou envenenada pelo medo que sinto como um sabor amargo.

O silêncio é rompido por um ruído vigoroso e surdo de passos que produzem eco. A maneira como os sons ricocheteiam me impede de distinguir de onde eles vêm.

Percorro, com os olhos, as galerias superiores. Dos domos, os santos me olham de maneira fatal e sem misericórdia. Então, do outro lado da nave, eu o vejo. Roberto está parado à entrada da capela que abriga seu túmulo, acenando para mim.

— Laura!

Um vulto assoma por trás dele. O monstro está ali, parado em meio às sombras, com um manto preto que lhe cobre os ombros feito um morcego gigante.

— Corra! — eu grito.

É tarde demais. Chrixos se lança sobre ele e, erguendo os braços sobre sua cabeça, coloca algo ao redor do pescoço de Roberto, arrastando-o de volta para a capela. Meu amado começa a sufocar e a se debater.

Corro por entre os bancos da igreja e entro na capela. Roberto está semidesmaiado, se debatendo enquanto Chrixos puxa o garrote que lhe envolve o pescoço. Atiro-me sobre o assassino, cravando as unhas em seu rosto. Ele faz uma careta, largando Roberto, e me dá um golpe com o braço. As costas de sua mão me atingem a bochecha, e caio no chão. Rolo pelo chão até bater com a têmpora numa ponta aguda do pedestal do túmulo.

A batida me deixa atordoada. Levo a mão à cabeça e, quando a vejo, está coberta de um sangue espesso. Fico em pé, cambaleante, usando o túmulo como apoio, enquanto os dois lutam no chão, rosnando numa confusão de braços e pernas. Eles rolam, e Chrixos se coloca por cima, desferindo um soco no rosto de Roberto, com um ruído seco e repugnante. Ele levanta o punho novamente, mas dessa vez Roberto consegue resistir, empurrando o corpo do assassino.

Cambaleando, eu me apoio na parede da capela, onde está pendurada uma cruz de mármore branca.

— Ajude-me, Mãe de Deus bendita — sussurro, tirando-a da parede. É mais pesada do que imaginava.

Roberto conseguiu ficar em pé, mas mal consegue respirar. Chrixos, agachado, o encara e tira um punhal de dentro da bota. Ele se aproxima de Roberto e os dedos de sua mão tremem, ansiosos pelo que está por vir.

Fico em pé atrás dele e, quando Chrixos se volta em minha direção, giro o crucifixo como um bastão. O golpe o atinge no meio da testa, e o ruído é como se uma pedra tivesse sendo arremessada contra outra. Ele desaba, caindo de joelhos, e leva as mãos ao rosto, enquanto o sangue lhe escorre pelos dedos. Quando ele retira as mãos, vejo uma fenda enorme em sua cabeça. Seus olhos, piscando em meio ao sangue, fervilham de raiva. Ele me agarra pelas roupas encharcadas. Levanto a cruz bem alto e, sem coragem para olhar, deixo-a desabar sobre sua cabeça.

A rachadura de seu crânio me traz à boca o gosto amargo da bile.

As mãos dele se soltam, e sinto o peso de sua cabeça desabando a meus pés. Roberto me abraça e pede para eu não olhar. Só que, agora, quero fazer isso.

Chrixos jaz imóvel no chão, com os olhos arregalados, numa raiva silenciosa. Os dentes brilham em sua boca como carapaças de besouros amarelos.

— Você está bem? — Roberto pergunta. Um fio de sangue lhe escorre pelo pescoço.

Um tremor incontrolável me perpassa o corpo, mas consigo acenar que sim com a cabeça.

— Acho que sim.

Ele toca em meu rosto, meu pescoço e meu cabelo, me beija na testa, nas orelhas, nariz e lábios. Recuo quando sua mão me toca o ombro.

— Você está ferida — ele sussurra.

— Você também — digo, acariciando seu pescoço com a ponta dos dedos.

Mas nada pode nos atingir agora que estamos juntos. Estamos salvos.

Capítulo 41

Quatro dias depois

O BARCO, IDENTIFICADO COM o símbolo da chave, me leva novamente a San Michele. As águas da laguna estão serenas, à exceção das pequenas ondulações causadas por eventuais lufadas de vento. As gaivotas sobrevoam nossas cabeças com guinchos agudos.

As feridas em meu ombro e cabeça estão se curando rapidamente. O corte foi profundo, mas está limpo, e, embora sinta meu ombro enrijecido, não preciso usar tipoia. Naquela noite, Allegreza rapidamente chamou um médico à sua casa, enquanto Roberto e eu caminhávamos apoiados um sobre o outro, um sem largar o outro. O médico me atendeu com rapidez e eficiência, e, depois de ele ter partido — bem remunerado por seus serviços e por seu silêncio —, a prima da duquesa escutou pacientemente nossa história, narrada de modo sinuoso, esgotado e enfraquecido. Embora ela tenha percebido, por meio da presença de Roberto, que eu quebrara minha promessa de manter segredo, em nenhum momento se opôs.

Desembarcamos na ilha e coloco minha máscara. Caminho agora pelos corredores do monastério, já familiares para mim. As atividades da Segreta nunca cessam.

Meu pai, claro, ficou fora de si e, ao saber que eu fora atacada por bandidos, culpou a si mesmo tanto quanto a mim. Perguntei a Allegreza como é que daríamos a Grazia a notícia sobre a morte de Carina. Allegreza disse que de nada adiantaria contar a verdade nesse caso: Grazia e seu marido não precisam sofrer mais. Além disso, o barco afundado no porto pertencia à família dela. Então, eles tirariam suas próprias conclusões. Portanto, nós três — duas mulheres e um homem — faríamos outra promessa. As circunstâncias da morte de Carina são um segredo que estou disposta a manter guardado.

Naquela noite, deixamos para trás o cadáver de Chrixos ao lado dos túmulos e Allegreza disse que encontraria alguém para dar um destino a ele antes que os guardas fossem chamados. Depois daquela noite, voltei ao local. Se olhar atentamente, enxergo uma mancha de sangue nas lajotas, mas duvido que alguém mais seja capaz de notar esse detalhe.

Cumprimento Grazia na sala de reuniões. Sua frieza tradicional ainda está presente, mas aprendi a identificar o calor humano que ela traz dentro de si. No início, Roberto achou difícil compreender que a vendeta que predominou durante toda a sua adolescência pudesse ser suspensa com a mesma facilidade com que suspendemos um tapete para espanar o pó fora da casa. Mas, desde ontem, após o discurso proferido por Julius no Conselho, ele pode agora desfrutar de sua vida.

Assim que todas nós nos reunimos, Grazia tira a máscara e as demais mulheres fazem o mesmo. É a primeira vez que eu vejo todos os rostos ao mesmo tempo.

— Quero ser a primeira a lhe dar os parabéns — ela diz. — Roberto será um ótimo marido para você. — As mulheres também se aproximam e me beijam nas duas faces.

— Obrigada a todas vocês — digo, ligeiramente surpresa, embora não devesse estar, de que elas já estejam sabendo. Foi somente na véspera que Roberto veio pessoalmente pedir a meu pai minha mão em casamento. Sou agora sua filha predileta. Ele mandou confeccionar um traje novo para a cerimônia. “Confeccionado por Pastollini, o melhor alfaiate de Veneza”, como ele não se cansa de me dizer.

Surpreendemos-nos todos ao ouvir passos. As mulheres que ainda estão sem suas máscaras as colocam rapidamente. Uma garota, possivelmente ainda mais jovem que eu, se aproxima hesitante da sala, com uma mão ainda segurando a porta, como se estivesse planejando fugir a qualquer momento.

Como de costume, Allegreza assume o comando. Ela ordena às mulheres que abram caminho para a garota passar e pede silêncio a todas.

— Vocês são da Sociedade? — a garota sussurra. — A Sociedade dos Segredos?

— Por que você quer saber? — Allegreza pergunta.

— Preciso de sua ajuda. E tenho um segredo a revelar a vocês.